"NUESTRO MÉTODO"

Tiempo y Espacio
en los tratamientos
de AUTOLIGADO PASIVO

Prólogo: **Dr. Thomas Pitts**

Dr. Federico Nappa Severino
Dr. Alfredo Nappa Aldabalde
Dra. Marisa Villalba Hidalgo

ESPARTA FORMACIÓN
www.espartaformación.com

ESPARTA
Formación

ISBN: 978-9915-40-058-7
Edición: YDEAS S.R.L.
Tapa: Diseñada por Federico Nappa
TODOS LOS DERECHOS RESERVADOS © 2020

ISBN: 978-9915-40-058-7

Forward / Prólogo

As a practicing orthodontist for over 50 years, an orthodontic teacher/professor, and a colleague of the authors for many years, I can unequivocally recommend this book to all orthodontists and hope they embrace its message.

I have always believed that patients deserved beautiful smiles, in addition to straight teeth. Creating good occlusions and straightening teeth has become easy for most orthodontists, but getting consistent great smile and facial esthetics simultaneously, on most orthodontic cases, has eluded many of my colleagues. Dogma is pervasive in our profession. As a result, many orthodontic finished smiles, "miss the mark". This book will show you how to more easily "hit the mark".

I have been working on "Pitts Esthetic Discipline" in orthodontics for many decades. Criticism has been frequent as the profession ponders some of the innovations I had a hand in. Diagnosing and treating to esthetically optimal results, requires a different skill set and processes than those needed to make good occlusions, and "straighten teeth". Diagnosing from the "outside/in" to esthetic standards has been novel in orthodontics. The Latin American authors, of this book, picked up on this, and have now given us a playbook, that they developed, of their renditions, of our protocols. Thanks to orthodontists like these authors, we now have orthodontic "artists", stepping up and researching these concepts.

The authors also show some disruptive innovations to speed up treatment, including Pitts 21, Pitts Broad wires, ultra soft niti's in 18x18 and 20x20 niti's. The "engage early" square wire AW approach incorporates biologically friendly forces. They show how this square wire appliance with light forces, is making orthodontics a much more enjoyable experience for the patients.

The authors, unlike the majority of orthodontists who write about biomechanics, and show little consideration to enhancing smile and facial esthetics, show how and why enhancing the esthetics is so important to the patient.

The Nappa family has been at the forefront of our specialty, in subscribing to "disruptive innovations" that make sense. They have helped to confirm that we can make extraordinary esthetics and very efficient treatment with newer philosophies and biomechanics, and still have great occlusal function.

The authors have taken precious time to write the first book on these progressive esthetic and efficient orthodontic techniques with light forces. They have become great teachers of these techniques and valued contributors to our journey. My hat's off to Drs. Nappa, and Dra. Marisa Villalba Hidalgo for their commitment to "Progressive Orthodontic Treatment".

I am very proud that they would ask me to do a forward for this exciting new book. Please read this material with an open mind. Don't let the dogma sneak in.

Thomas Pitts DDS, MSD

Clinical Professor University of Nevada Las Vegas, Orthodontic Program
Private practice of orthodontics, Reno, Nevada

Dedicatoria

Gracias infinitas:

A nuestras familias. Soporte de nuestras vidas.

A nuestros queridos profesores por tantas enseñanzas que nos dejaron.

A las instituciones docentes que auspician nuestros cursos.

A los distribuidores y vendedores de O.C. Orthodontics.

Al Dr. Tom Pitts y sus equipos de enseñanza.

A nuestros colaboradores en programación.

A nuestras asistentes del consultorio.

A los queridos grupos docentes de los que formamos parte.

A los pacientes que han confiado en nuestra labor profesional.

A los grandes motores de todo esto, la razón de ser de las clases, este libro es de ustedes colegas, para que lo disfruten… o lo padezcan…

Dr. Federico Nappa Severino
Dr. Alfredo Nappa Aldabalde
Dra. Marisa Villalba Hidalgo

Dedicatoria de los autores al Libro de la Pandemia

Has sido un libro especial en un momento especial de nuestras vidas y de la humanidad toda. Te queremos como un hijo concebido y nacido en esas particulares circunstancias.

Ahora, hijo, debes caminar por el mundo con tus aciertos y errores; será entonces el momento de tu vida, tu camino…

Suerte, querido hijo. Libro de la Pandemia.

Índice de temas

Prólogo Thomas Pitts DDS, MSD ....…. 3
Dedicatoria 5

Sección 1.. 8
Tiempo y espacio de la estética
Capítulo 1 ... **Introducción** 9
Capítulo 2 ... **Paciente 1** ....…. 22
Capítulo 3 ... **Paciente 2** ....…. 57

Sección 2.. 70
Los tiempos en Biomecánicas Simultáneas
Capítulo 4 ... **Introducción** 71
Capítulo 5 ... **Paciente 3** 86
Capítulo 6 ... **Paciente 4** 94
Capítulo 7 ... **Función y origen de la disfunción en los tratamientos** 103

Sección 3.. 157
Asimetrías y Biomecánicas Asimétricas
Capítulo 8 ... **Introducción** 172
Capítulo 9 ... **Paciente 5** ....…... 168
Capítulo 10 ... **Paciente 6** 186

Sección 4... 200
Tiempo y espacio de los 3os. Molares
Capítulo 11... **Introducción** 201
Capítulo 12 ... **Paciente 7** 219
Capítulo 13 ... **Paciente 8** 239

Capítulos 4, 7 y 8, tienen secuencias de 3 tratamientos con Pitts21.
Capítulos 7 y 11 tienen secuencias de 2 tratamientos con H4.

SECCIóN 1
TIEMPO Y ESPACIO DE LA ESTÉTICA

Sección 1
Tiempo y espacio de la estética
Capítulo 1
Introducción

La innovación distingue entre un líder y un seguidor.
Steve Jobs 1955-2011
Destacado informático y empresario estadounidense fundador de Apple.

El tiempo en su inevitable discurrir nos ha enfrentado otra vez, pero de diferente manera, al desafío de la hoja en blanco que, a la vez nos acaricia y se hace respetar.

Ahora el desafío es desarrollar un libro que exponga diferentes temas y casos *Pitts21* con algunos hilos conductores como el tiempo, el espacio y nuestro método.

Las características mismo de la publicación y los nuevos tiempos hace que seamos más breves en el espacio de las palabras, aunque no en el de las imágenes de los casos.

No incluiremos aquí definiciones ni del tiempo ni del espacio, dos amigos-enemigos que se nos presentan en nuestras vidas a veces entrando en puntas de pie en anécdotas más o menos intrascendentes, mientras que, en ocasiones, son piedra fundamental de la concepción filosófica y religiosa de nuestra vida.

En estos tiempos es común que tanto colegas como pacientes sean muy activos en redes tecnológicas con sus grandes ventajas en la inmediatez y pluralidad de la obtención de datos.

Como en la vida misma, existe en contrapartida y consecuencia de la hiperconectividad, la hiperinformación que no es lo mismo que conocimiento, y puede generarse un verdadero caos mental. *(Figs. 1 to Fig. 4)*

1

2

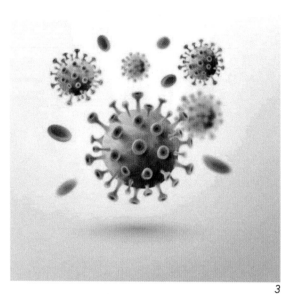

3

4

Quizás uno de los principales desafíos de un educador en un curso presencial online o en un libro, sea la de ordenar la mente y transmitir un método; ello de ninguna manera significa ser dueño de la verdad o no admitir otras vías de enseñanza y aprendizaje. *(Fig. 5)*

Creemos en el GEN DEL APRENDIZAJE INFINITO...

5

Método. Manera de alcanzar un objetivo.

El método significa aquella organización de la materia de estudio que la hace más eficaz en el uso.
John Dewey (1859-1952)
Pedagogo, psicólogo y filósofo estadounidense.

Imaginemos que un tratamiento es un viaje, él puede ser más corto o más largo y presentar mayores o menores obstáculos para arribar al destino. En ese viaje emplearemos uno o más vehículos que nos conducirán desde el inicio al objetivo final.

El punto de partida, lugar, fecha y hora es, en nuestros tratamientos, el diagnóstico **D**, y la llegada son los objetivos.

Para desplazarse de uno a otro existirá un cierto plan **P**; uno o varios vehículos **V** con alguien que conduce y debe conocer su funcionamiento, mecánica y el trayecto a recorrer (biomecánica) **B**. *(Fig. 6, 7 and 8)*

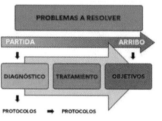

6   7   8

Por tanto el método es conocer el diagnóstico **D**, establecer un plan **P** de tratamiento y con qué vehículos **V** terapéuticos realizarlo, y por último, llevar a la práctica ese plan con una determinada conducción o biomecánica. **B**

Si bien existen varias áreas diagnósticas, dos de ellas son, generalmente, requerimientos de nuestros pacientes; están referidas a la estética y también, al tiempo o duración de los tratamientos. *(Figs 9 to 14)*

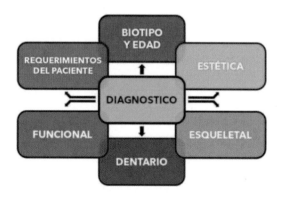

9   10

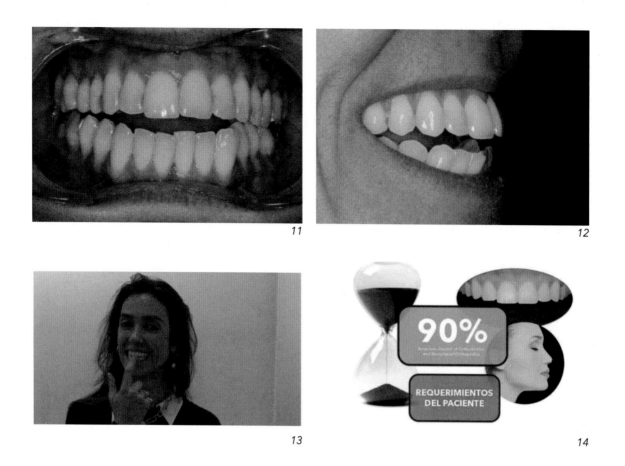

11

12

13

14

En este libro expondremos casos resueltos con autoligables pasivos *Pitts21*. Pero tanto los vehículos en sí como las diferentes etapas del método tienen componentes disruptivos.

Una tecnología o actividad disruptiva cambia drásticamente un producto preexistente. *(Fig. 15 and 16)*

15

16

Para ser disruptivo primero hay que pensar diferente y, de ser posible, de manera sencilla para que, en esta actividad, la ortodoncia, lo entiendan tanto pacientes como profesionales de la especialidad. *(Fig. 17 and 18)*

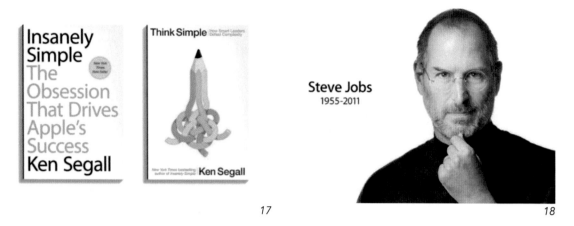

17   18

"La innovación distingue entre un lider y un seguidor."   Steve Jobs (1955-2011)

Dentro del diagnóstico y objetivos de los tratamientos el espacio estético juega un papel fundamental en satisfacer las exigencias de nuestros pacientes. *(Fig. 19 to 22)*

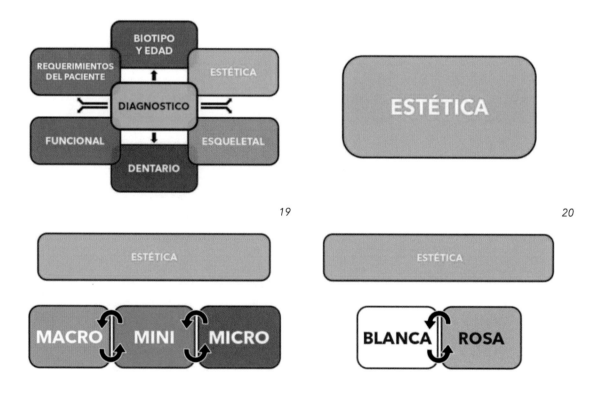

19   20

21   22

Todas estas áreas pueden ser mejoradas con tratamientos:

- Ortopédicos

- Ortopédico-funcionales

- Ortodónticos

- Ortodóntico-quirúrgico

- Periodoncia

- Restauraciones de operatoria dental

- Procedimientos de estética facial

Aquí expondremos imágenes faciales y bucales, incluidos algunos videos, de 4 pacientes en su pre y postratamiento; estos casos serán apreciados en diferentes secciones de este libro.

Paciente A – *(Figs. 23 to 49)*

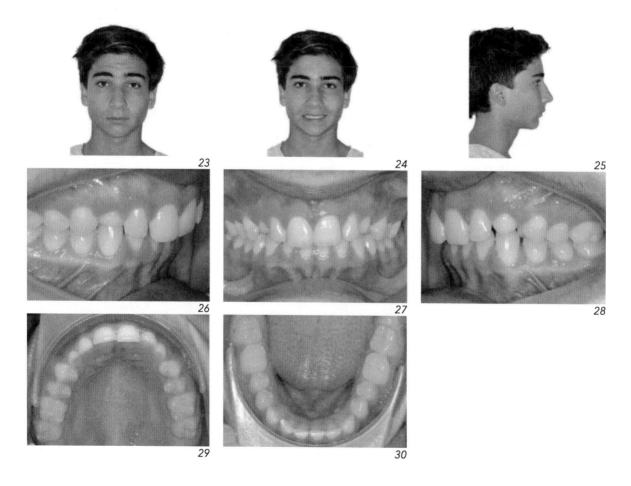

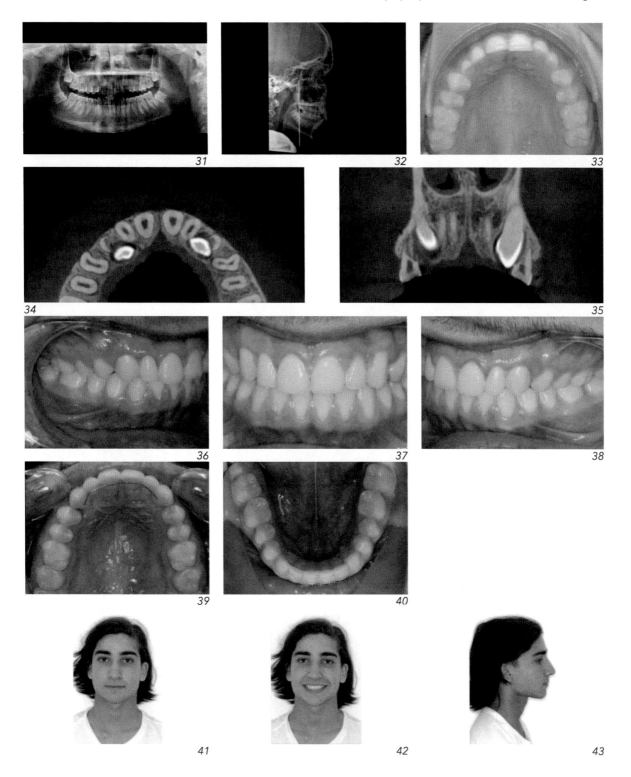

31

32

33

34

35

36

37

38

39

40

41

42

43

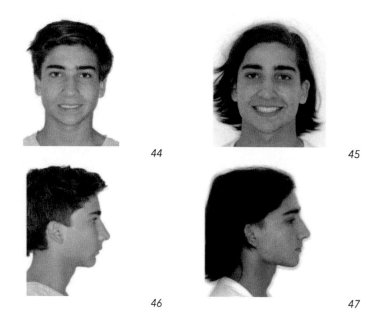

44 45 46 47

Paciente B – *(Figs 48 to 68)*

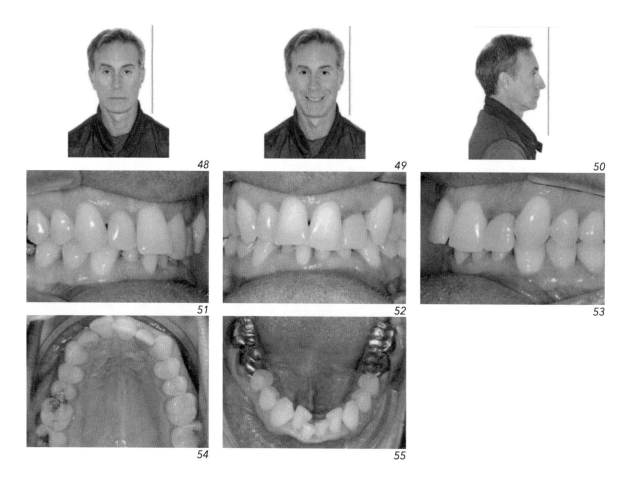

48 49 50 51 52 53 54 55

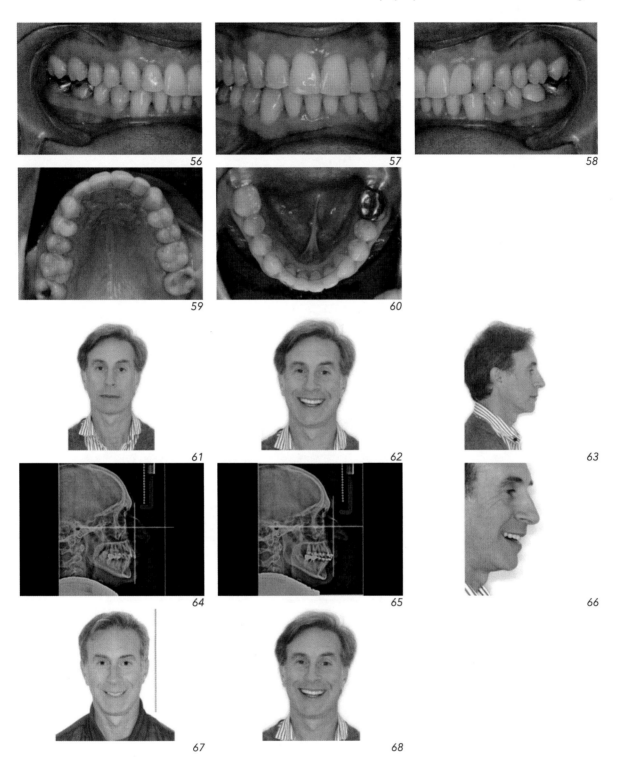

56

57

58

59

60

61

62

63

64

65

66

67

68

Paciente C – *(Figs. 69 to 83)*

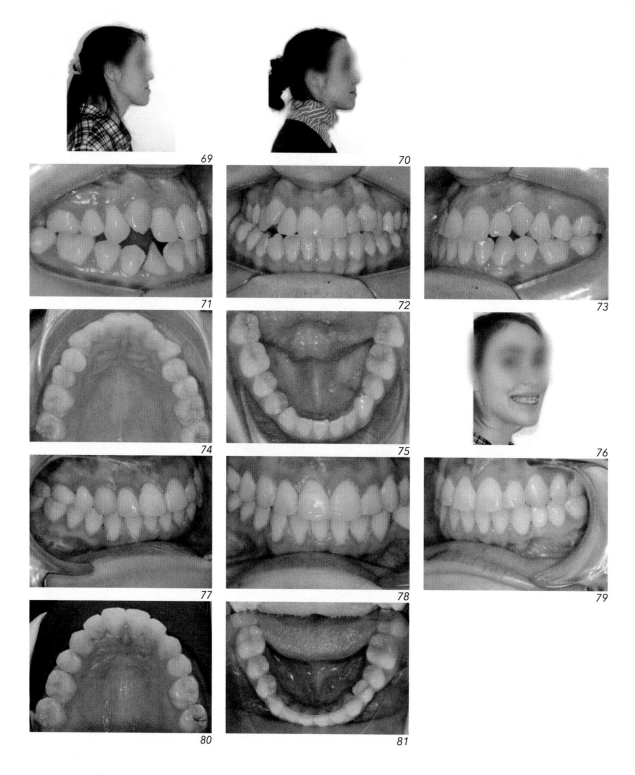

82

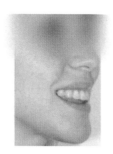

83

Paciente D – *(Figs. 84 to 107)*

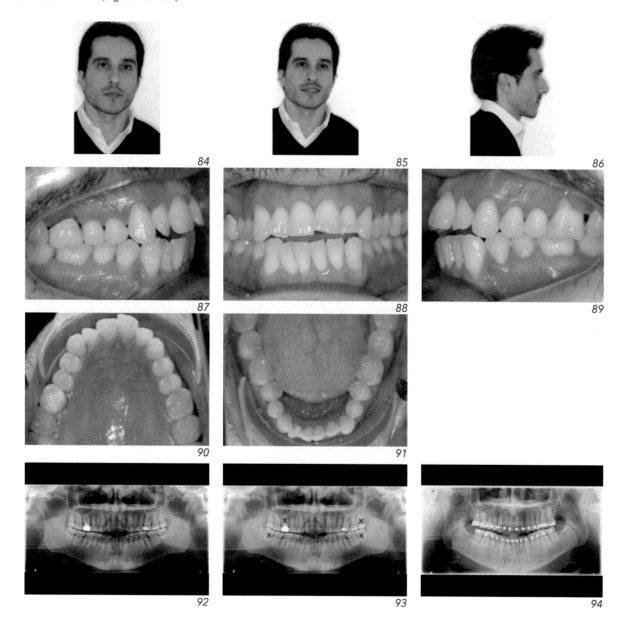

84

85

86

87

88

89

90

91

92

93

94

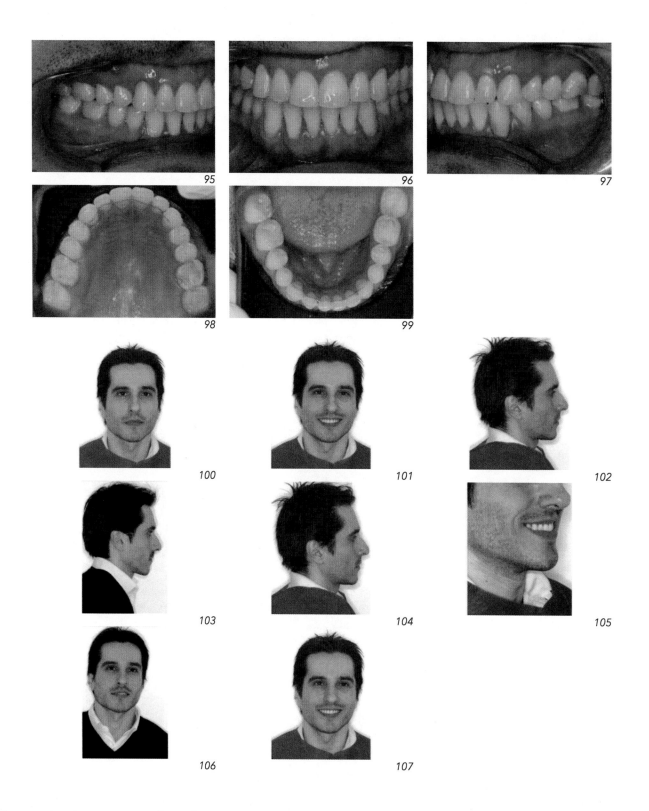

En estos próximos capítulos, al exponer casos, se abordarán aspectos estéticos variados con mucha incidencia en conceptos claros del **Dr. Thomas Pitts** pero expuestos con nuestro método. *(Figs. 108 to 110)*

DISEÑO DE SONRISA Y EVALUACIÓN ESTÉTICA

Dr. TOM PITTS

108   109

1) **PLENITUD DENTARIA**

2) **PLENITUD LABIAL / TEJIDO BLANDO MENTóN**

3) **INCLINACIóN INCISIVA**

4) **V.I.P. / EXPOSICIóN V ERTICAL INCISIVA SUPERIOR**

5) **S.A.P. / ARCO DE LA SONRISA**

6) **ANCHO DE ARCO Y SONRISA DE 12 PIEZAS**

7) **CURVATURA DE LA MEJILLA**

8) **LÍNEA ½ SUPERIOR vs FILTRUM DEL LABIO**

9) **SIMETRíA DEL PLANO OCLUSAL**

10) **PRESENCIA DE PAPILA**

110

Sección 1
Tiempo y espacio de la estética
Capítulo 2
Paciente 1

9 de cada 10 pacientes, o sea, el 90 %, consultan en la práctica diaria por MOTIVOS ESTÉTICOS, lo que pone de relieve la GRAN IMPORTANCIA que tiene la estética en los tratamientos y la inquietud principal de resolver piezas dentarias malposicionadas.

Dentro de esta categoría (piezas malposiconadas), el "problema" se nos presenta con variantes, pero con un trasfondo común: la discrepancia diente-hueso (insuficiencia de espacio sectorizada o más generalizada en una o ambas arcadas).

A esto ortodónticamente se lo denomina "discrepancia dentaria negativa" y puede ser la causante de diferentes "expresiones" clínicas.

**Principales expresiones clínicas
producidas por la discrepancia dentaria negativa**

DISCREPANCIA DENTARIA NEGATIVA
MALPOSICIONES DENTARIAS EN SUS VARIABLES, PRINCIPALMENTE - APIÑAMIENTO
RETENCIóN DE PIEZAS DENTARIAS
ASIMETRÍAS DENTARIAS Y FUNCIONALES

Tomando en cuenta estas "expresiones", ¿cuántas veces te hiciste esta pregunta?:

"¿Es la extracción el único camino ante la discrepancia negativa?"

En tratamientos de adolescentes o adultos y ante la problemática de la falta de espacio para un buen posicionamiento de las piezas dentarias surge, no en todos, pero si en muchos casos, un primer interrogante: **¿extraer o no extraer?**

EXTRAER   **NO EXTRAER**

Para responder a esta pregunta, expondremos un caso, donde realizamos el tratamiento mediante la implementación de **"nuestro método DPVB"** (es un *protocolo clínico* basado en un Ⓓ Diagnóstico, una Planificación de acuerdo al punto anterior y la utilización de un ⬤P.V Vehículo terapéutico determinado para llegar por último a los protocolos Ⓑ Biomecánicos).

Este protocolo clínico **DPVB** dará un orden lógico, el cual te ayudará a sistematizar cualquier tratamiento que se te presente.

La implementación constante de este protocolo en la práctica diaria se puede transformar en un hábito y así se logra abordar cualquier tratamiento, sea de mayor o menor complejidad, con una gran simplicidad.

Con esta sistematización, podrás llegar al objetivo final del tratamiento con eficacia y eficiencia clínica para una rápida y sencilla resolución.

MÉTODO DPVB
Ⓓ **Diagnóstico**
⬤P.V **Planificación / Vehículo terapéutico**
Ⓑ **Biomecánica**

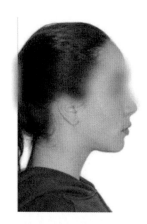

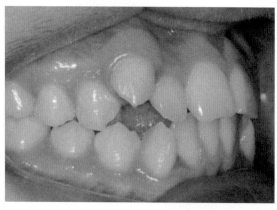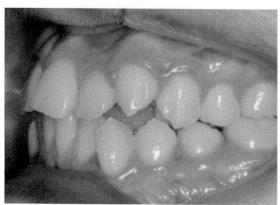

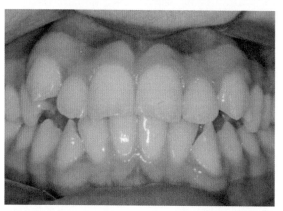

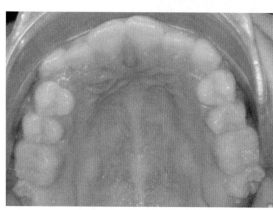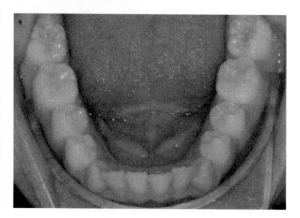

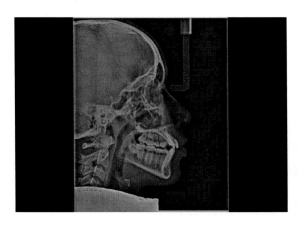
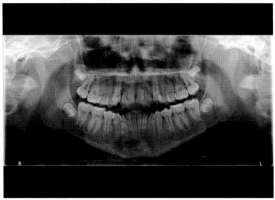

Nombre Medida	Valor	Media	Vert	Tipo	DÓLICO	MESO	BRAQUI
Eje Facial	83,1	90,0	-2,3	DÓLICO			
Profundidad Facial	85,9	88,4	-0,8	MESO			
Angulo Plano Mandibul.	30,8	24,6	-1,4	DÓLICO			
Altura Facial Inferior	48,2	47,0	-0,3	MESO			
Arco Mandibular	33,6	28,3	1,3	BRAQUI			

VERT = -0,7   Dólico Facial Suave.

Luego de expuestas las fotografías extra e intraorales, las radiografías lateral y panorámica, conjuntamente con el análisis de biotipo, comenzaremos a implementar y describir paso a paso nuestro método **DPVB**. Iniciemos por el DIAGNóSTICO:

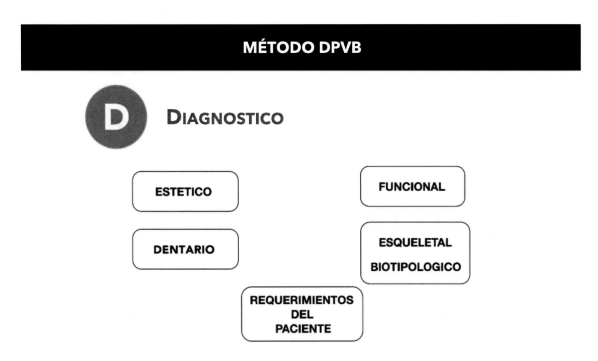

Desde el punto de vista del diagnóstico, vamos a tener en cuenta 6 factores:

- **ESTÉTICO**

- **DENTARIO**

- **FUNCIONAL**

- **ESQUELETAL / BIOTIPOLóGICO**

- **REQUERIMIENTOS DEL PACIENTE**

Análisis estético y requerimientos del paciente

De estos factores de diagnóstico, como mencionábamos al comenzar este capítulo, 9 de cada 10 pacientes tendrán como requerimiento principal su estética. El Dr. Sarver realiza una clasificación del análisis estético y lo divide en 3:

- **MACROESTÉTICA**

- **MINIESTÉTICA**

- **MICROESTÉTICA**

Para fines prácticos y para continuar simplificando la clínica diaria, te recomendamos que dicho diagnóstico lo elabores de una manera visual como lo realiza el Dr. Dwight Frey mediante la asignación de colores (visualización diagnóstica) y NO mediante números ni valores cefalométricos que luego podrán serte difíciles de recordar.

El Dr. Dwight Frey realiza esta valoración en 3 colores a la cual nosotros le sumamos el color amarillo, considerando el factor tiempo como determinante para ciertas modificaciones.

VISUALIZACIóN DIAGNOSTICA BASADA EN 4 COLORES

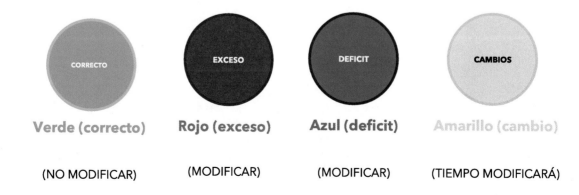

Verde (correcto)	Rojo (exceso)	Azul (deficit)	Amarillo (cambio)
(NO MODIFICAR)	(MODIFICAR)	(MODIFICAR)	(TIEMPO MODIFICARÁ)

MACROESTÉTICA

- PROPORCIONES VERTICALES

- PROPORCIONES HORIZONTALES

- CIERRE LABIAL

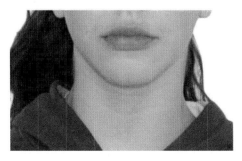

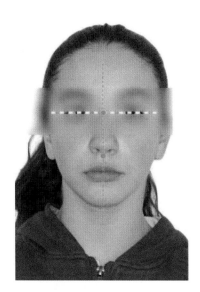

- ÁNGULO NASO LABIAL ANGLE

- PROYECCIó N NASAL (TIP NASAL)

- PERFIL

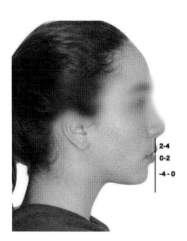

En la **MACROESTÉTICA**, hay que tener en cuenta lo siguiente en la vista frontal:

- PROPORCIONES VERTICALES.

- PROPORCIONES HORIZONTALES.

- CIERRE LABIAL ANTERIOR

Por otro lado, hay que tener en cuenta lo siguiente *en la vista lateral o de perfil:*

- Ángulo naso-labial.

- Ángulo Mento-labial.

- Proyección nasal (*Tip* nasal).

- Proyección de labio superior, labio inferior y mentón. Proporciones estéticas ideales en el adulto y con respecto a la línea vertical proyectada de subnasal.

Tomando en cuenta todos esto para la simplificación clínica y su eventual visualización diagnóstica, le asignaremos el color **VERDE** que significa "**NO MODIFICAR**" ya que está correcto.

Cuando analizamos la Rx lateral, y únicamente haciendo un diagnóstico estético basándonos en la posición del incisivo superior con respecto a la línea **GALL** (**G**oal **A**nterior **L**imit **L**ine) de Andrews, observamos que el incisivo superior está proinclinado (idealmente la cara vestibular de los incisivos superiores debe quedar vertical y paralela a esta línea de referencia). Como está con exceso de inclinación, le asignaremos el color rojo, que significa "**SI MODIFICAR**".

Nuevamente citando al Dr. David Sarver, quien dice *"Es importante corregir lo que está alterado, pero más importante es mantener lo que está correcto"*, tendremos que resolver esa proclinación sin alterar, por ejemplo, el ángulo nasolabial que está correcto **VERDE**.

MINIESTÉTICA

- VISUALIZACIóN DE INCISIVOS

- CORREDORES BUCALES

- EXPOSICIÓN INCISIVA

- ALTURA DE LA SONRISA

En la **MINIESTÉTICA**, hay que tener en cuenta lo siguiente:

- VISUALIZACIÓN DE INCISIVOS Y LO QUE RESPECTA AL SAP, VIP Y VID (EN SUS SIGLAS EN INGLES).

- LÍNEA MEDIA CON RESPECTO A LA CARA.

- CORREDORES BUCALES.

- EXPOSICIÓN GINGIVAL.

- ALTURA DE LA SONRISA.

Debido a que la palabra "**estética**" deriva de las voces griegas y significa "Sensación", "Percepción", es en este punto en el que los requerimientos del paciente toman un rol más que preponderante para la toma de decisiones, ya que puede haber diferencias en las percepciones.

Vemos que tiene aspectos relativos a la miniestética que están correctos y le asignamos el color VERDE (NO MODIFICAR), mientras otros están en déficit (sonrisa) y le asignamos el color **AZUL** (MODIFICAR).

"La exposición vertical ideal de los incisivos superiores tanto en situación de reposo como de sonrisa, constituye uno de los aspectos de evaluación en la miniestética facial más importantes"

Visualización de incisivos en VERDE tomando en cuenta el "hoy" de la paciente, ya que existen cambios por la edad, como se observa en el cuadro (Fig. 1).

EXPOSICION DENTAL PROMEDIO EN POSICION DE DESCANSO (MM)[7]		
	Incisivo central maxilar	Incisivo central mandibular
Menos de 30	3.4	0.5
30 - 40	1.6	0.8
40 - 50	1.0	2.0
50 - 60	0.5	2.5
Más de 60	0.0	3.0

Teniendo en cuenta el "mañana" de la paciente, el SAP (**S**mile **A**rc **P**rotection), VIP (**V**ertical **I**ncisor **P**osition) y VID (**V**ertical **I**ncisor **D**isplay) toman un papel fundamental en la **P**lanificación/**V**ehículo terapéutico.

Los **corredores bucales** están correctos, a pesar de presentar un desequilibrio dentoalveolar marcado en ambas arcadas (que puede provocar estrechez del arco superior creando los llamados "corredores negros" de la sonrisa).

La **exposición gingival** en el "hoy" está correcta, pero aquí tendrás que tener en cuenta lo mencionado en la Fig. 1, que es el cruel paso del tiempo, es decir, "el mañana"; en este, los tejidos blandos tienden a perder flacidez y eso genera que se vean menos los superiores y más los inferiores.

ALTURA DE SONRISA

Baja	menos del 75 % de exposición de la corona del diente.
Media	entre 75 % y 100 % de exposición de la corona del diente.
Alta	100 % de exposición de la corona y hasta con 3 mm de exposición de la encía
Gingival	Cuando se expone más de 3 mm de encía. (Puede deberse a diferentes factores).

"Estas alturas de la sonrisa se pueden ver alteradas por diversos factores, entre ellos el cruel paso del tiempo."

MICROESTÉTICA

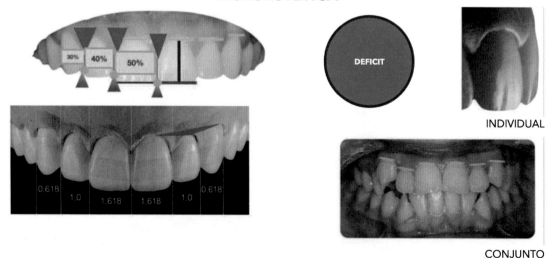

- FACTORES RELACIONADOS
- ANÁLISIS DENTAL

INDIVIDUAL

CONJUNTO

Cuando analizamos la **MICROESTÉTICA**, hay que considerar que es una valoración y un análisis dental tanto individual como en conjunto.

- En este punto serán importantes todos los factores relacionados a MANTENER o MODIFICAR proporciones de estética blanca (diente) como de estética rosa (gingiva).

- Aquí claramente vemos un **DÉFICIT** en ese aspecto...

Hasta aquí a la paciente se le realizo un Diagnóstico ESTÉTICO:

- MACROESTÉTICA

- MINIESTÉTICA

- MICROESÉTICA

ANÁLISIS ESQUELETAL / BIOTIPOLóGICO

Observando la Rx lateral y su cefalograma, Ricketts nos informa que este caso se trata de una paciente de biotipo dólico suave con una proinclinación incisiva inferior.

La línea de Andrews, llamada línea **GALL** (**G**oal **A**nterior **L**imit **L**ine) es una línea de referencia en la que nos basamos para nuestro diagnóstico de proinclinación dentaria. Tomando en cuenta esta referencia y analizando la Rx lateral, observamos que el incisivo superior está proinclinado

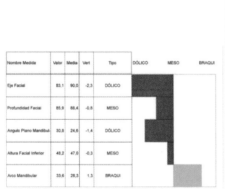
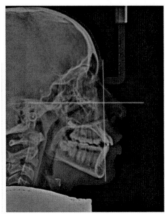
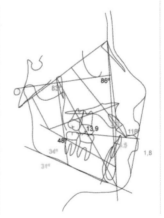

Este análisis pasa a ser un factor a tener en cuenta para la planificación y posterior ejecución de ciertas maniobras biomecánicas, las cuales pueden verse condicionadas por una situación esqueletal/biotipológica determinada.

BASAL SUPERIOR

DENTOALVEOLAR SUPERIOR

DENTOALVEOLAR INFERIOR

BASAL INFERIOR

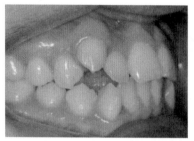 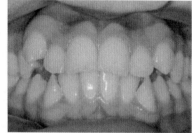 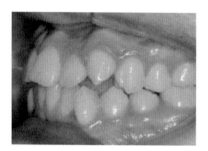

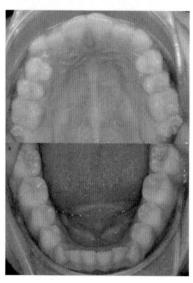

Análisis oclusal

En la vista frontal es apreciable una estrechez dentoalveolar provocada por un desequilibrio musculo-funcional, tanto de la arcada superior como de la inferior y eso genera que en la zona dentoalveolar se forme lo que llamamos un "RELOJ DE ARENA", en este caso con poca guía anterior.

En la vista lateral, se muestra un relacionamiento clase I molar y canina.

Las vistas oclusales superior e inferior denotan la discrepancia negativa existente y, como mencionábamos en el comienzo de este capítulo, una de las "expresiones" clínicas producidas por la discrepancia dentaria negativa son las malposiciones dentarias en cualquiera de sus variables.

Dado que el 90 % del ÉXITO del tratamiento está basado en un correcto **D**iagnóstico, es momento de aplicar esto al segundo punto de nuestro método "DPVB" que es la **P**lanificación / **V**ehículo terapéutico.

PLANIFICACIóN / **V**EHÍCULO TERAPÉUTICO

En la planificación, analizaremos ciertos puntos que surgen del **D**iagnóstico como lo son: **biotipo dólico + proinclinación incisiva + discrepancia dentaria negativa + poca guía anterior**. A esto hay que agregarle TODOS los factores que NO HAY QUE MODIFICAR (VERDE).

Los factores enumerados en párrafos anteriores nos llevaban a preguntarnos: ¿estamos frente a un caso de extracción de premolares?.

Debido a que la paciente tenía un gran requerimiento ESTÉTICO, las extracciones no eran compatibles con algunos de los 14 objetivos de estética que tiene en cuenta el Dr. Tom Pitts.

Top 14 de referencia en la estética del Dr. Pitts

1. ARCADA DENTAL COMPLETA (FULL DENTAL MASS).

2. CORRECTA INCLINACIóN DE INCISIVOS Y CANINOS (PROPER INCLINATION OF INCISORS/ CUSPIDS).

3. ARCO DE LA SONRISA (SMILE ARC CURVATURE).

4. DISPLAY INCISAL Y GINGIVAL (INCISAL AND GINGIVAL DISPLAY).

5. SONRISA DE 12 DIENTES (12-TOOTH SMILE).

6. ESTÉTICA Y FUNCIóN EN LA FORMA DE ARCADA (ESTHETIC AND FUNCTIONAL ARCH SHAPE).

7. MICROESTÉTICA (MICROESTHETICS).

8. MINIESTÉTICA (MINIESTHETICS).

9. LABIO SUPERIOR CON VOLUMEN (FULL UPPER LIP).

10. CORRECTA PROYECCIÓN DEL MENTÓN (NICE SOFT CHIN PROJECTION).

11. SIMETRÍA DEL PLANO INCISAL (INCISAL PLANE SYMMETRY).

12. LÍNEA MEDIA SUPERIOR (UPPER MIDLINE).

13. CONSIDERACIÓN DE LA NECESIDAD DE RESTAURACIÓN (RESTORATIVE CONSIDERATION FOR POOR MORPHOLOGY).

14. MEJORAMIENTO DE LA ESTÉTICA FACIAL (SOFT FACIAL TISSUE ENHACEMENT).

Vehículos Terapéuticos

- Autoligado pasivo Pitts 21.

- Arcos.

- Elásticos intermaxilares.

"Para conseguir los objetivos que nos planteamos de una manera eficaz y eficiente es necesario poner a trabajar de manera conjunta esta tríada de vehículos terapéuticos".

Autoligado pasivo Bracket Pitts 21

Como ortodoncistas, siempre habíamos utilizado para nuestros tratamientos brackets de slot rectangular (.022" x .028" y en algunos casos con una medida mayor). Primero con arcos de sección redonda para el alineado y nivelado y luego la utilización de arcos de sección rectangular (x.025") para la expresión de Tip, Torque y Rotación.

Esta relación Slot/calibre arco provocaba que nuestros tiempos clínicos fuesen prolongados debido a que la transmisión de dichos movimientos se manifiesta de forma tardía en el tratamiento.

En un momento, la vida nos volvió a cruzar con el Dr. Thomas Pitts pero ahora con su bracket H4, que si bien continuaba teniendo un slot rectangular, presentaba una variante ÚNICA en ese momento y que creíamos fundamental para la clínica diaria (tiempo clínico menor); se reducía el slot en profundidad, pasando de las dimensiones provenientes del arco de canto .022" x. 028"a un slot .022" x.026".Teniendo en cuenta que los arcos rectangulares continuaban siendo x.025", cambiaba sustancialmente la relación dimensional slot bracket con calibre de arco. Además, se tenía más control de los movimientos (algo tan cuestionado en los autoligados pasivos).

Ésta primera reducción nos permitió tener una mejoría clínica debido a la relación Arco/Slot.

Luego el Dr. Pitts dio un paso más y creó el Bracket Pitts21 en sus 2 variedades (metálica y actualmente el Clear21), cuyo slot presenta la particularidad de ser de sección cuadrada en el sector anterior de 3 a 3 (.021" x .021"), manteniendo un slot rectangular en los sectores posteriores (.021" x .023" Premolares - .021" x .024" Molares). Este detalle proporciona un excepcional control de las piezas dentarias anteriores mientras proporciona una mayor libertad de movimiento en las piezas dentarias posteriores

En el bracket Pitts21 cambian las clásicas dimensiones de slot rectangular y arcos de sección rectangular para la expresión del Tip -Torque y Rotación, a un slot de sección cuadrada y la utilización de arcos cuadrados para la expresión de dichos movimientos. Esta relación proporciona un control 3D y la expresión más temprana de Tip, Torque y Rotación (early engagement) y con un 30-40 % menos de fuerza.

4 puntos de contacto para la transmisión de torque del arco .020" x .020" en slot 0.21" x .021", con una relación arco/slot de solo 4° de juego libre.

TIP

TORQUE

ROTACIóN

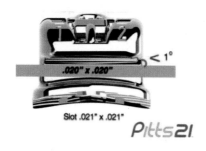

Prescripciones

El control tridimensional y, por ende, de la inclinación palatovestibular de las piezas dentarias es muy importante en los tratamientos, ya que juega un rol principal cuando queremos lograr ciertos objetivos estéticos y funcionales.

Para introducirnos en el tema de la elección de la prescripción, necesariamente creo conveniente hacer referencia a las llaves segunda y tercera citadas por el Dr. Andrews en su estudio de los modelos pertenecientes a pacientes con oclusiones ideales y que no hayan sido tratadas ortodónticamente.

- La segunda llave hace referencia a la angulación mesiodistal que se observó en los modelos. En un bracket, la expresión de esa **_angulación_** se llama "TIP".

- La tercera llave de oclusión descripta por el Dr. Andrews se refiere a la inclinación palato o linguovestibular de las coronas dentarias. En un bracket, la expresión de esta **_inclinación_** es llamado "TORQUE".

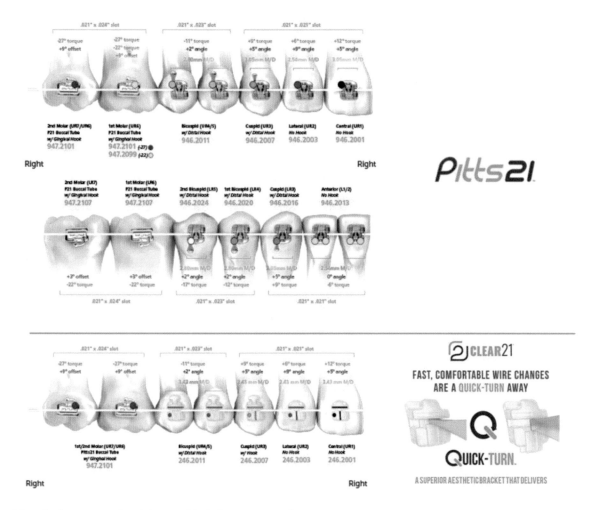

Elección de la prescripción en incisivos superiores

Para la elección de la prescripción en los incisivos superiores, es conveniente recordar que en Pitts 21 disponemos de una única prescripción, la cual podemos transformar en dos simplemente con un giro de 180 grados del bracket.

Para la elección de la prescripción, hay que recordar que nuestro diagnóstico será principalmente del punto de vista estético, tomando como referencia el incisivo superior pretratamiento con su relación a la vertical GALL y tomando en cuenta las mecánicas (elásticos, extracciones, etc.) que influyen en dicho posicionamiento.

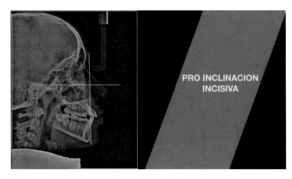

Con todo esto en mente, habrá casos en los cuales necesitaremos un torque diferente en la arcada superior: es ahí donde optaremos por una variante en la disposición, es decir, le daremos al bracket un giro de 180 grados para obtener torque negativo (este giro puede ser en conjunto o individual).

Giro 180 grados de 2-2 superior = **Flipped**

Giro 180 grados de 3-3 superior = **Flocked**

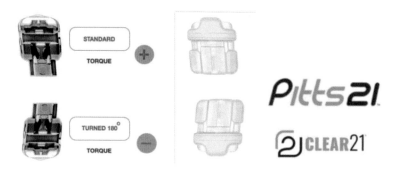

También habrá casos en los cuales necesitaremos un torque positivo en el sector anteroinferior, el cual tiene un torque negativo de 2-2 (tener en cuenta que los caninos tienen un torque positivo). Como en el superior, podremos optar por un giro de 180 grados (este giro puede ser en conjunto o de una sola pieza).

Arcos

En este punto, vamos a analizar las variantes de arcos que se utilizarán en la filosofía Pitts.

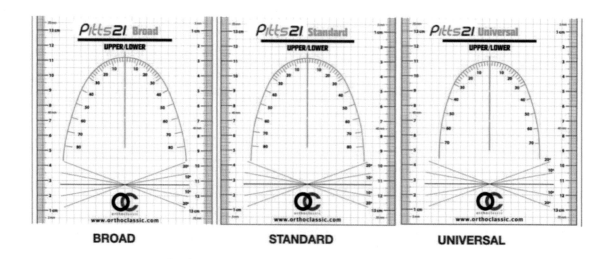

BROAD   STANDARD   UNIVERSAL

Recordando que el diagrama de arco en la ortodoncia está compuesto entre otros factores por la distancia intercanina y la distancia intermolar y analizando el diagrama de los arcos de este sistema H4/Pitts21-Clear21, observamos que existen variedades:

A. BROAD

B. STANDARD

C. UNIVERSAL

Estas 3 variantes tienen una distancia intercanina similar y difieren únicamente en la distancia intermolar; el Pitts Broad es el de mayor distancia.

- Aquí no hay arco superior o inferior; se utiliza de manera indistinta.

- Independientemente del diagrama, este es el menú de opciones de arcos que se utilizarán en Pitts 21 o Clear21.

A su vez, vamos a dividir este menú de opciones en dos grandes grupos según el material:

Arcos NO FORMEABLES		Corresponden a los arcos NiTiTA (**N**iquel **T**itanio **T**ermo **A**tivado).
Arcos FORMEABLES		Corresponden a los arcos BT (BetaTitanio) y arcos SS (Acero).

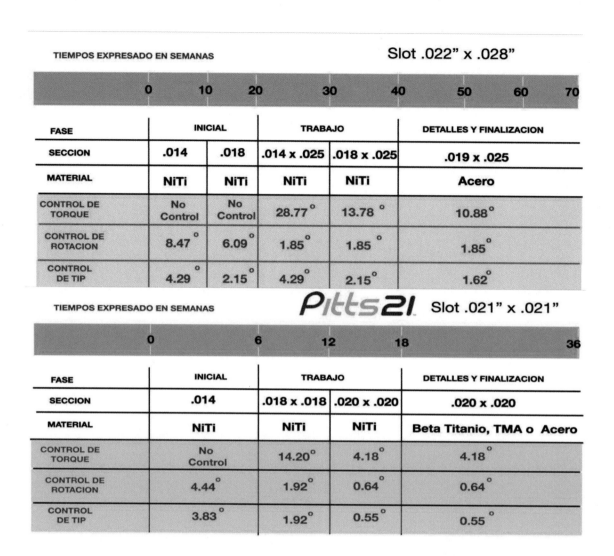

TIEMPOS EXPRESADO EN SEMANAS — Slot .022" x .028"

0	10	20	30	40	50	60	70

FASE	INICIAL		TRABAJO		DETALLES Y FINALIZACION
SECCION	.014	.018	.014 x .025	.018 x .025	.019 x .025
MATERIAL	NiTi	NiTi	NiTi	NiTi	Acero
CONTROL DE TORQUE	No Control	No Control	28.77°	13.78°	10.88°
CONTROL DE ROTACION	8.47°	6.09°	1.85°	1.85°	1.85°
CONTROL DE TIP	4.29°	2.15°	4.29°	2.15°	1.62°

TIEMPOS EXPRESADO EN SEMANAS — *Pitts21* Slot .021" x .021"

0	6	12	18	36

FASE	INICIAL	TRABAJO		DETALLES Y FINALIZACION
SECCION	.014	.018 x .018	.020 x .020	.020 x .020
MATERIAL	NiTi	NiTi	NiTi	Beta Titanio, TMA o Acero
CONTROL DE TORQUE	No Control	14.20°	4.18°	4.18°
CONTROL DE ROTACION	4.44°	1.92°	0.64°	0.64°
CONTROL DE TIP	3.83°	1.92°	0.55°	0.55°

En este cuadro, vemos claramente la relación arco/slot favorable para la expresión temprana de los movimientos de tip, torque y rotación cuando utilizamos Pitts 21 en comparación con los brackets de slot rectangular.

Como se puede apreciar en el cuadro de Pitts 21, todos los movimientos son conseguidos en arcos de Niti con fuerzas livianas.

Elásticos intermaxilares

Tendremos que tener en cuenta que para una correcta y rápida resolución del caso es necesaria la utilización de elásticos intermaxilares inmediatos (I.L.S.E.).

Podemos clasificarlos en dos grupos:

- DIÁMETRO

- FUERZA

En los protocolos biomecánicos y en los restantes casos clínicos, se abordará con más detalle este punto para poder entender las combinaciónes del diámetro, la fuerza y su disposición.

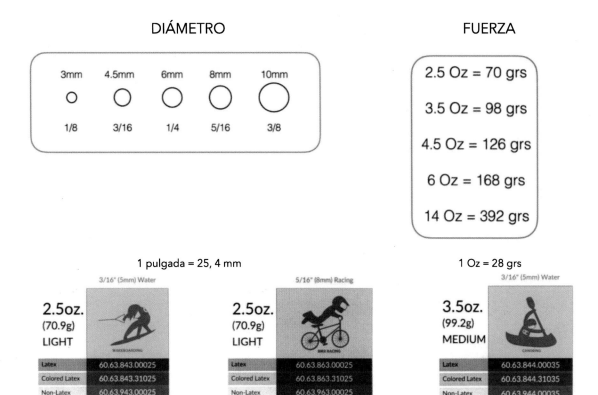

Planificación en el cementado

Luego del diagnóstico la planificación del cementado es una parte fundamental para el éxito del tratamiento.

Desarrollar la habilidad tanto en la elección de la prescripción como en las referencias de cementado en tubos y brackets serán claves para alcanzar una hermosa sonrisa (Wow), y una buena oclusión funcional puntualizando que ambos objetivos no son conflictivos entre si.

Extraordinary Esthetic Goals Do Not Have to Conflict with Occlusal Goals *(Dr. Tom Pitts)*

SAP (Smile Arc Protection): Protección del arco de la sonrisa

Desde una vista frontal, en un arco de sonrisa ideal, los bordes incisales de dientes superiores (incisivos y caninos) son paralelos, al sonreír, a la curvatura del labio inferior.

La primera definición del arco de la sonrisa se limitaba al sector de incisivos y caninos superiores y, además, se valoraba exclusivamente desde la visión frontal; pero la visualización del arco de la sonrisa completa incluye igualmente a piezas posteriores y se complementa también con su visión a 45 grados.

Para crear este arco ideal (sonrisa Wow) los brackets del maxilar superior son posicionados más gingivalmente que en técnicas tradicionales y, además, divergentes con relación a cúspides y bordes incisales de las piezas dentarias en dicho maxilar.

Es así que el arco ortodóntico no queda paralelo al plano oclusal (referencia de Arco Recto) sino divergente hacia mesial con respecto a dicho plano al que genera un cierto canteado en sentido horario.

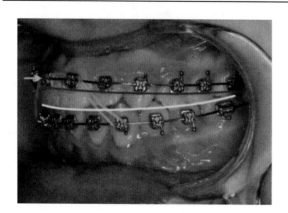

Otro aspecto importante de la MINIESTÉTICA es el torque pre, y, sobremanera, postratamiento de los incisivos superiores; en su posición final inciden factores como su inclinación pretratamiento, elección de prescripción, "geografía" de cementado en cara vestibular de los incisivos, y biomecánicas que pueden influir hacia la pro o retroinclinación inicial. El torque incisivo se puede evaluar clínicamente y también en Rx de perfil.

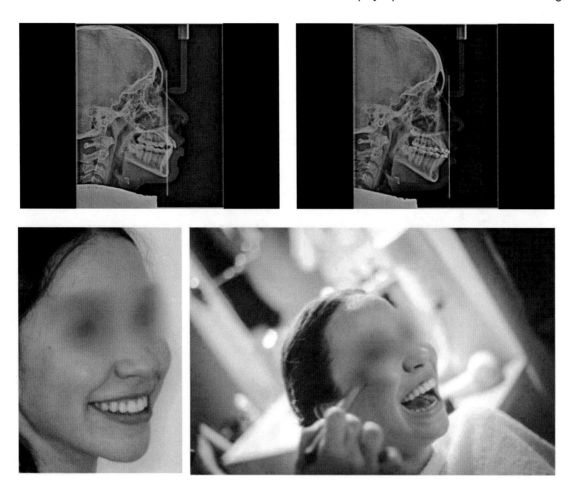

ACRóNIMOS		
SAP	SMILE ARC PROTECTION	ARCO DE LA SONRISA
VID	VERTICAL INCISOR DISPLAY	EXPOSICIóN VERTICAL INCISIVA
VIP	VERTICAL INCISAL POSITION	POSICIONAMIENTO VERTICAL INCISAL (SUPERIOR)
	En este último se considera el **VID** y la inclinación incisiva superior.	

Por último y no menos importante, es hacer trabajar a toda esta "maquinaria" de una manera muy particular, NO de una forma secuencial, sino mediante una "activación temprana" con ***biomecánicas simultáneas***. Con estas, se logrará la mayor parte de las correcciones en etapas tempranas de los arcos de Niti y se deja exclusivamente los arcos de acero para casos de extracciones y un correcto manejo de espacios.

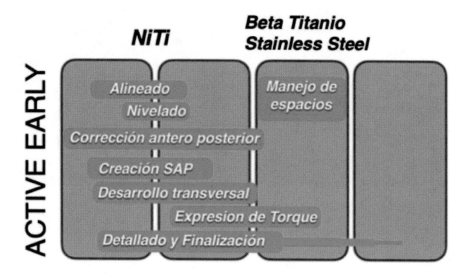

En este último punto de nuestro método, simplemente aplicaremos los protocolos biomecánicos correspondientes para llegar a los objetivos planteados de nuestro paciente:

Recuerden que la paciente tenía un gran requerimiento estético.

 **BIOMECÁNICA**

PROTOCOLOS BIOMECÁNICOS

El desafío al cual nos enfrentábamos en esta paciente era que técnicamente era un caso de 4 extracciones de Premolares.

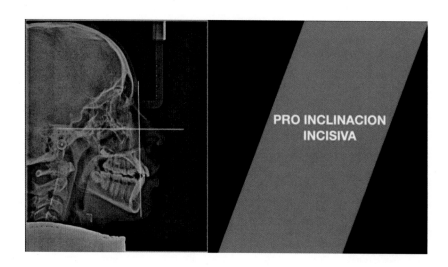

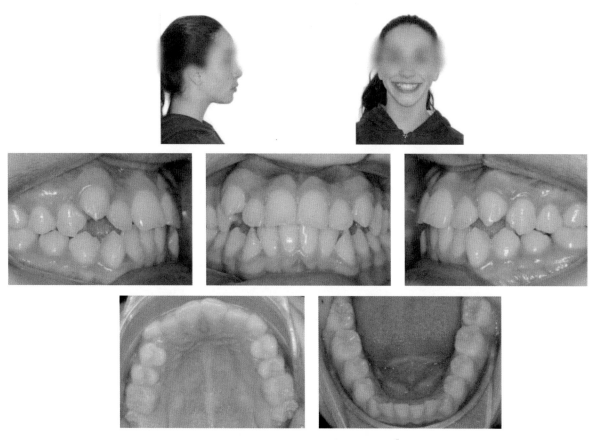

RECUERDEN ... MENOS ES MÁS

MENOS EXTRACCIONES

MECÁNICAS SIMPLES

PERO, ¿CÓMO LOGRAR LA RETRACCIÓN INCISIVA SIN EXTRACCIÓN DE PREMOLARES?

RETRACCIóN INCISIVA

SIN EXTRACCIóN DE PREMOLARES

SIMPLEMENTE... SEGUIR ESTOS PROTOCOLOS BIOMECÁNICOS

1) **ARCOS BROAD**

2) **BRACKETS FLIPPED / FLOCKED**

3) **CEMENTADO A GINGIVAL**

4) **CADENA/S DE TORQUE**

1) **ARCOS BROAD**

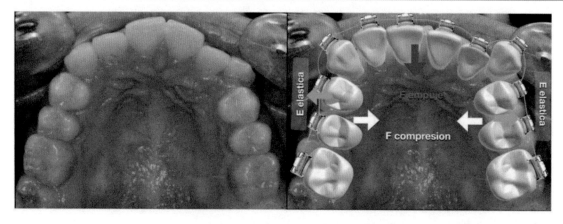

EL DESARROLLO TRANSVERSAL
TAMBIÉN ES CLAVE PARA LA CORRECCIóN ANTERIOR.

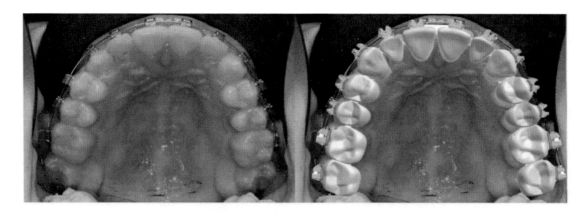

ARCO BROAD .018 x .018" NiTi Ultra Soft

2)   BRACKETS FLIPPED / FLOCKED

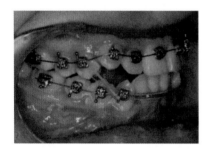 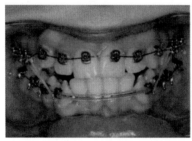 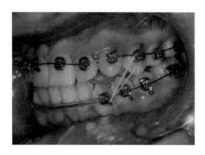

Recuerden que la prescripción del bracket surge del diagnóstico estético, de la posición pretratamiento del IS, así como de las mecánicas que influyen en dicho posicionamiento.

En la paciente, necesitamos un torque negativo en el sector anterosuperior.

Esto es debido a su proinclinación incisiva sumada a la discrepancia anterior que en parte será resuelta por el desarrollo transversal y otro por proinclinación. Cementamos los brackets Flipped, con un giro de 180 grados de 2-2. El Flocked lo colocamos solo en aquellos casos con caninos muy proinclinados.

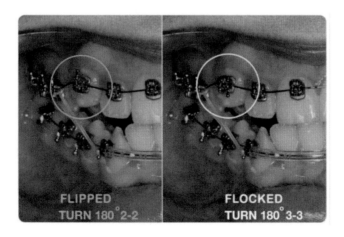

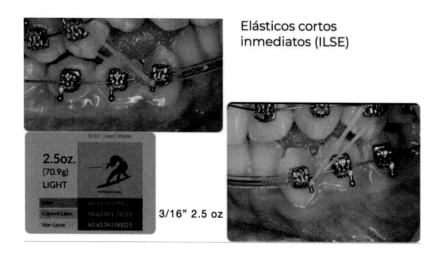

Elásticos cortos
inmediatos (ILSE)

2.5oz.
(70.9g)
LIGHT

3/16" 2.5 oz

CONSEJO BIOMECÁNICO: En casos que tienen discrepancia negativa anterior con proinclinación incisiva y los caninos inferiores están por delante de los incisivos, coloquen un ByPASS en el sector incisivo y elásticos cortos inmediatos **ILSE** (**I**nmediate **L**ight **S**hort **E**lastics) de 3/16" de diámetro y 2,5 oz de fuerza con un vector clase III para verticalizar los caninos inferiores; luego, pueden cementar en incisivos.

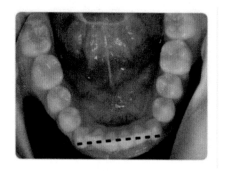

3)   CEMENTADO A GINGIVAL

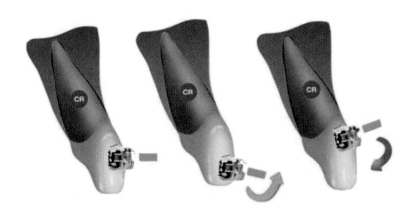

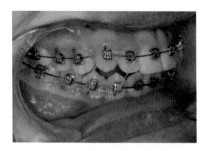 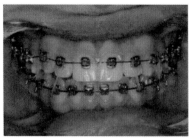 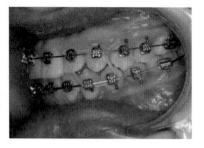

Debido a la anatomía de la cara vestibular de los incisivos, el cementado más a gingival hace que el slot del bracket quede dispuesto "como mirando hacia arriba" y así colabora en la expresión del torque negativo del bracket girado.

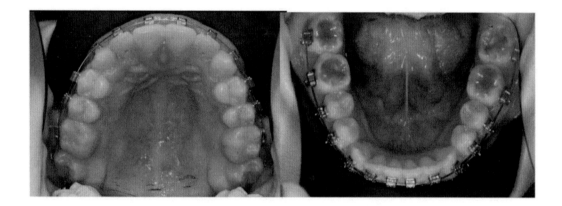

Puesto que la paciente tiene poca guía anterior y es de un biotipo dólico, las desoclusiones (una parte muy importante para conseguir los objetivos del tratamiento) van situadas en sectores posteriores.

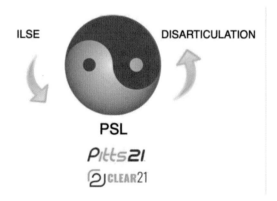

COMPONENTES CLAVE PARA LOGRAR LA MÁXIMA EFECTIVIDAD EN LOS TRATAMIENTOS. UNA TRÍADA INDISOLUBLE:

- ELÁSTICOS CORTOS INMEDIATOS (ILSE)

- DESOCLUSIONES (Anterior o Posterior)

- AUTOLIGABLE PASIVO Bracket Pitts21/Clear21

CONSEJO BIOMECÁNICO: realizar ejercicios de apretamiento (squeezing exercices) será parte también de una terapia funcional, ya que ejercita la musculatura de cierre. Se realiza de la siguiente manera:

60 apretamientos (se debe sentir una contracción del músculo masetero y temporal) lo más rápido que se pueda seis veces al día.

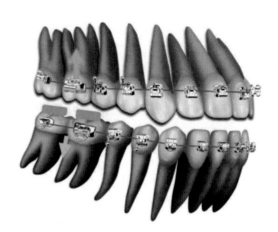

Ejercicios Squeezing

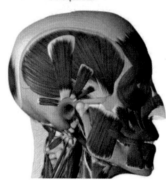

TERAPIA MIOFUNCIONAL
- Masetero
- Temporal

Entre otros, estos son algunos de los objetivos de las desoclusiones:

- Potenciar la acción de los arcos para los movimientos intrarcada.

- Potenciar la acción de los elásticos para los movimientos interarcada.

- Control selectivo vertical en:

  - Mordida abierta (pequeña intrusión posterior).

  - Mordida cubierta (extrusión de sectores posteriores).

OBJETIVOS	• POTENCIAR ACCIÓN DE LOS ARCOS (INTRA ARCADA)
	• POTENCIAR ACCIÓN DE LOS ELÁSTICOS (INTER ARCADA)
	• CONTROL SELECTIVO VERTICAL (MORDIDA ABIERTA - MORDIDA CUBIERTA)

4) CADENA/S DE TORQUE

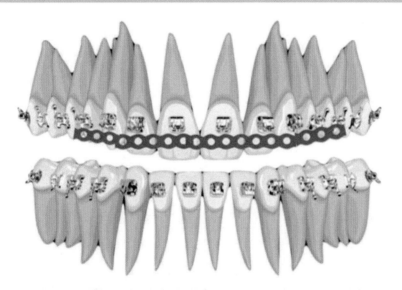

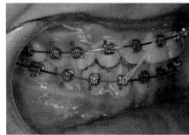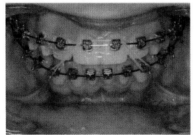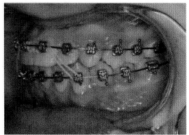

Con Pitts21 solo la utilizamos en el .018 x .018" de 14 to 24
8 eslabones de cadena continua

... y así de sencillo logramos el objetivo estético con función en tan solo 9 meses.

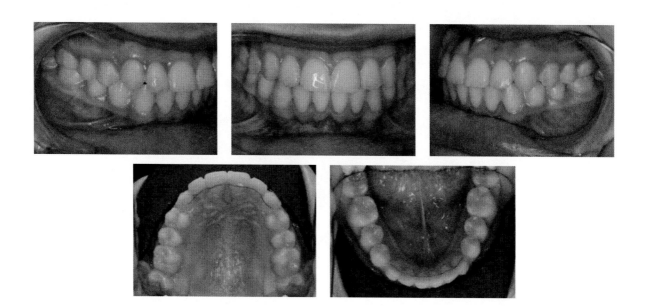

INICIAL   **FINAL**

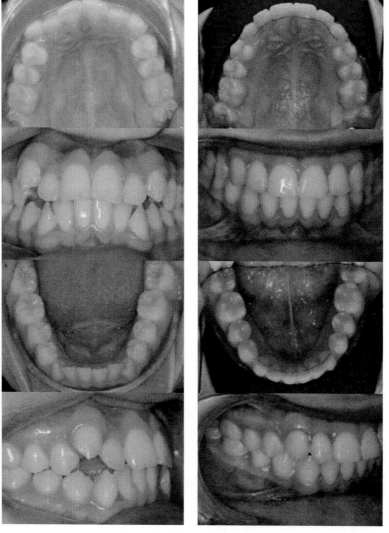

La filosofía estética del Dr. Pitts tiene como objetivos **_crear_** una sonrisa anatómica totalmente natural.

Como se había hablado en la planificación, se tiene que tener como referencia los 14 factores de estética (top 14 smile esthetics).

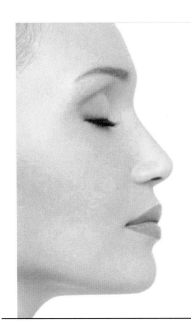

TOP 14 SMILE ESTHETICS

1 FULL DENTAL MASS

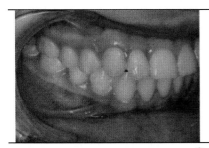
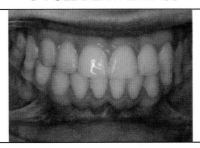
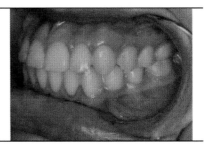

2 PROPPER INCISOR INCLINATION

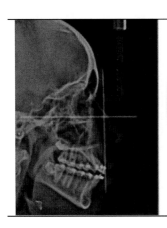
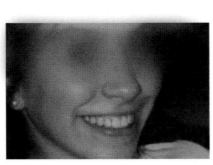

3 / 4 / 5 12 TOOTH SMILE / GINGIVAL DISPLAY

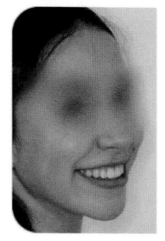

"Smile Arc"

6 BROAD ARCH FORM IN Pm and M

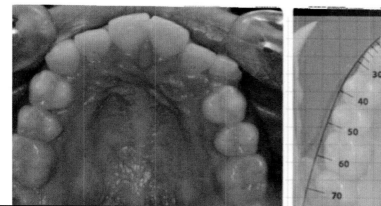

| PRE TREATMENT | FINAL |

7 MICROESTHETICS

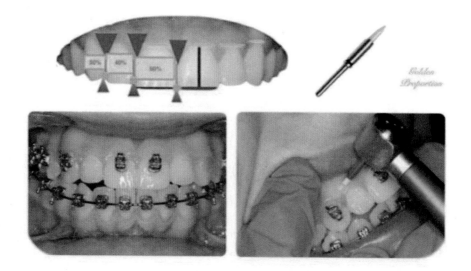

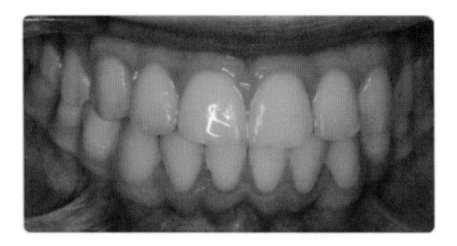

"Rounded and softened Incisal edges"

8 MINIESTHETICS

9 / 10 CHIN PROJECTION FULL LIPS

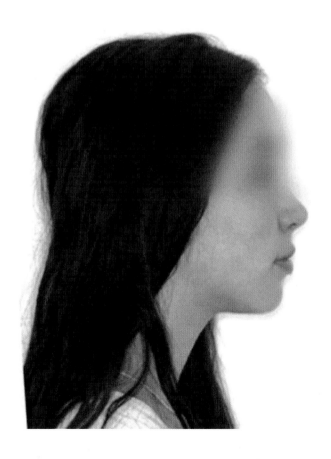

11 / 12 BUCAL CORRIDORS UPPER MIDLINE

 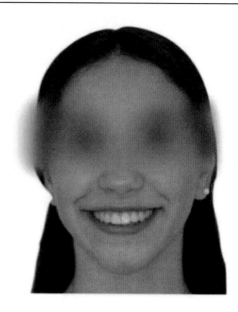

13 / 14

NO NECESITABA RESTAURACIONES. TENÍA BUENA MORFOLOGÍA. Y EL MEJORAMIENTO DE SU ESTÉTICA FACIAL ESTÁ A LA VISTA.

Extraordinary Esthetic Goals Do Not Have to Conflict with Occlusal Goals *(Dr. Tom Pitts)*

Sección 1
Tiempo y espacio de la estética

Capítulo 3
Paciente 2

"Es más fuerte quien más sonríe" ***frase Zen***

D DIAGNóSTICO

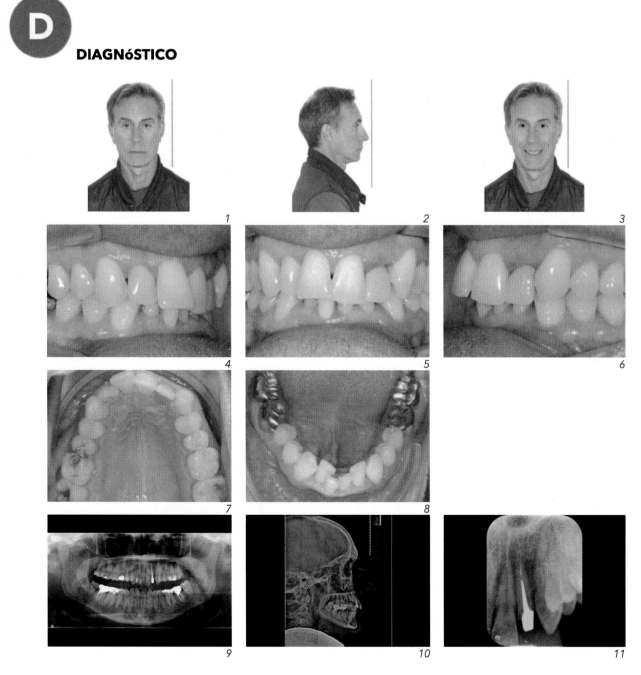

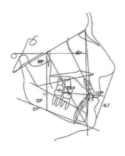 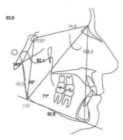

12   13

Este caso clínico es un paciente adulto cuyos requerimientos fundamentales eran:

- Tratamiento que no superara los 12 meses
- Mejorar la estética dentaria
- Evitar la extracción de premolares, (camino que le habían sugerido en otra clínica).

Como se mencionó anteriormente una particular clasificación diagnóstica del **Dr. Dwight Frey** la hemos tomado casi en un 100 %:

- **Verde (correcto)**
- **Rojo (exceso)**
- **Azul (déficit)**
- **Amarillo (cambio)** *

* La evaluación actual cambiará (mejorando o empeorando) con el tiempo (crecimiento, cambios en los tejidos blandos, etc.)

El sistema de colores da una visión más rápida del presente de nuestro paciente al cual nosotros adicionamos el (amarillo) que sería el cambio que puede mejorar o empeorar la situación del inicio por crecimiento o por el simple e inevitable paso del tiempo

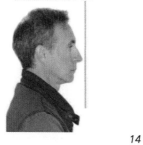  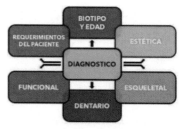

Verde (correcto)

Rojo (exceso)

Azul (déficit)

Amarillo (cambio)

14   15   16

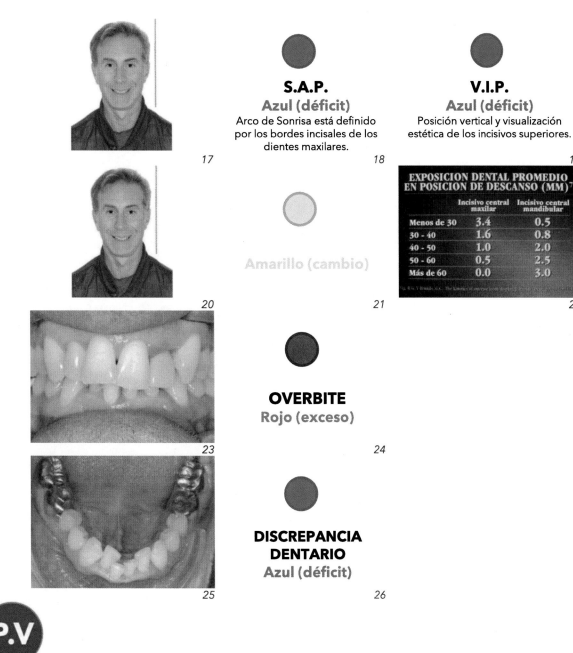

S.A.P.
Azul (déficit)
Arco de Sonrisa está definido por los bordes incisales de los dientes maxilares.

17

V.I.P.
Azul (déficit)
Posición vertical y visualización estética de los incisivos superiores.

18   *19*

Amarillo (cambio)

20   *21*

EXPOSICION DENTAL PROMEDIO EN POSICION DE DESCANSO (MM)[7]	Incisivo central maxilar	Incisivo central mandibular
Menos de 30	3.4	0.5
30 - 40	1.6	0.8
40 - 50	1.0	2.0
50 - 60	0.5	2.5
Más de 60	0.0	3.0

22

OVERBITE
Rojo (exceso)

23   *24*

DISCREPANCIA DENTARIO
Azul (déficit)

25   *26*

P.V

PLANIFICACIóN / VEHICULO TERAPÉUTICO

A pesar de la sobremordida, la corrección del overbite incluye una extrusión anterosuperior para mejorar la exposición vertical de incisivos superiores (V.I.P) que es claramente insuficiente y lo será más con el transcurrir del tiempo. *(Figs. 17 to 24)*

Este planteo constituye una disrupción en los planes clásicos de corrección de dicho problema oclusal.

Como se aprecia en las figuras 27 y 28 existen diferentes alternativas en la corrección de la mordida profunda y, claramente optamos por el aplanamiento de la curva de Spee que conlleva referencias de cementado de tubos y brackets muy similares a los apreciados en la figura 29

CAMINOS DE SOLUCIóN	
1.	**"APLANAMIENTO" DE LA CURVA DE SPEE**
2.	**INTRUSIóN ANTERO-SUPERIOR / SONRISA GINGIVAL?**
3.	**AVANCE MANDIBULAR**
4.	**PROINCLINACION INCISIVA**
5.	**REHABILITACION DE SECTORES POSTERIORES DE BOCA**

27

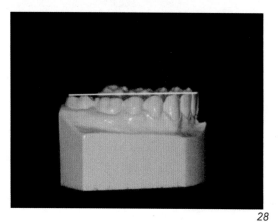

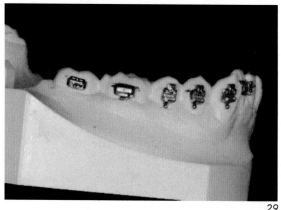

28

29

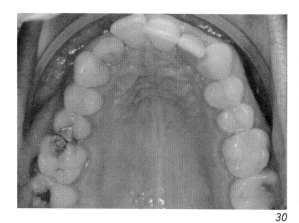

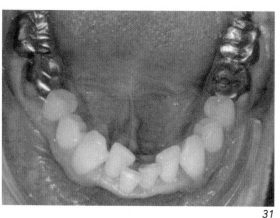

30

31

La discrepancia negativa observada en ambas arcadas *(Fig. 30 and 31)* se solucionarían con un desarrollo de los arcos (Broad Pitts) en diámetro y perímetro acompañado con cierto desgaste interproximal (I.P.R).

Como metas del tratamiento se consideró:

- Proteger macroestética
- Mantener Inclinación incisiva superior **(VERDE)** *Figs. 32 to 34*

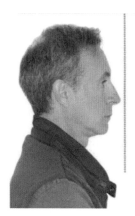

32

33

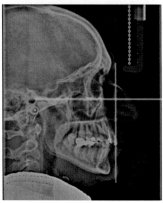

34

VEHÍCULO/S TERAPÉUTICO/S

Se utilizaron brackets y tubos (P.S.L) Pitts 21 con prescripción "Flipped" superior en la que los brackets incisivos son girados 180° (torque negativo para proteger la correcta inclinación pretratamiento de sus incisivos superiores (correcta) y ante marcada discrepancia dentaria negativa.

Dicho vehículo terapéutico fue utilizado con desoclusiones anteriores, elásticos (I.L.S.E) y progresión de arcos que se detallan en la biomecánica del caso.

BIOMECÁNICA

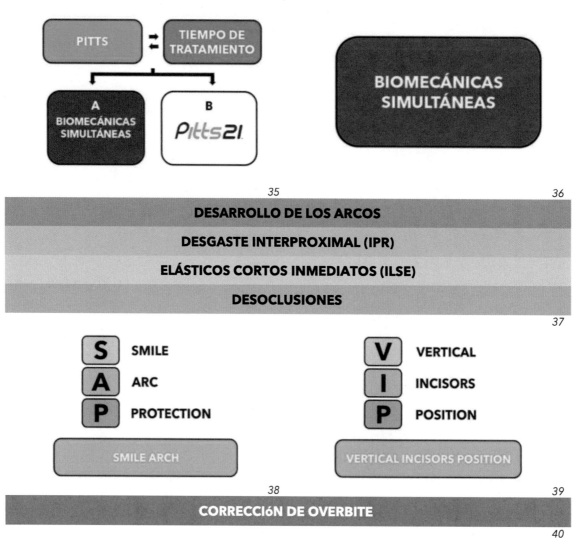

En vista de la magnitud de la discrepancia dentaria en negativo (- 9mm en el arco inferior) y la situación periodontal del paciente se comienza el desarrollo de los arcos buscando una muy baja relación carga-deflexión.

FACTORES DE TASA DE DESVIACIóN DE CARGA
1) ALEACIóN DEL ARCO
2) SECCIóN DEL ARCO
3) LONGITUD DEL ARCO
4) DISTANCIA ENTRE BRACKET
5) FRICCIóN
6) ÀNGULO DE INCIDENCIA (EL AUTO Y LA RUTA)

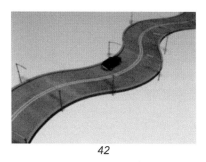

42

Los factores biomecánicos que inciden en dicha relación están expuestos en las *Figs. 41 to 42*

Cuando hablamos en los cursos del "auto y la carretera" queremos expresar que obviando la inclusión de alguna pieza o utilizando simples arandelas (Baby Eyelets), estamos disminuyendo el ángulo de incidencia en las curvas (malposiciones) tal cual los pilotos de Fórmula 1.

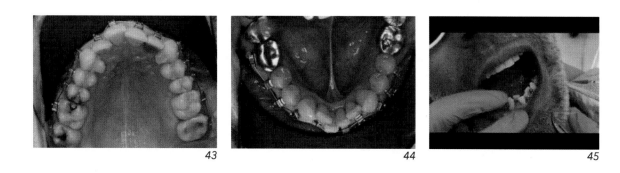

43 44 45

Dicho propósito está expuesto en las *Figs 43 to 45* con arcos .014" **Niti Broad Pitts**.

Obsérvese también las desoclusiones en palatino de las piezas 13 y 23 con los elásticos cortos e inmediatos (I.L.S.E) 3/16" 2,5 oz clase III con el objetivo de una ligera verticalización de las piezas 33 y 43. *Figs 46 to 48*

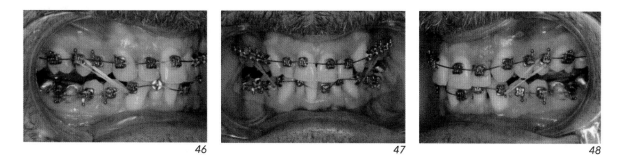

46 47 48

Cinco semanas después, con el mismo arco se incluye la pieza 41 en la acción del arco y para ello se le cementa también una arandela (Baby Eyelet). *(Figs. 49 to 51)*

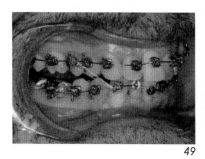
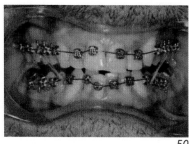
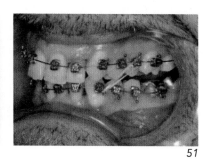

49 50 51

A la vez que el desarrollo de los arcos comenzaba a mejorar, llegó el momento (4 meses de tratamiento) de involucrar los segundos molares superiores e inferiores con arcos .018 x .018" **Niti Ultra Soft Broad Pitts**.

El empleo de dicho arco tiene innumerables ventajas en su asociación con un bracket de ranura .021 x .021" en el sector anterior de canino a canino y es usual que la utilicemos en las diferentes situaciones expuestas en las *Figs. 52 to 62.*

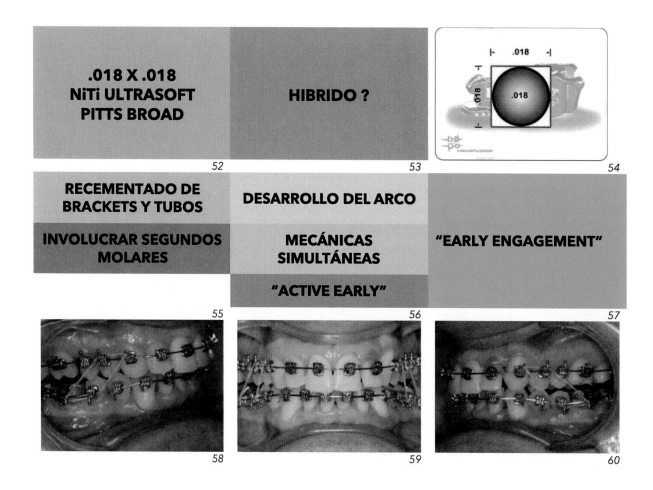

52 53 54
55 56 57
58 59 60

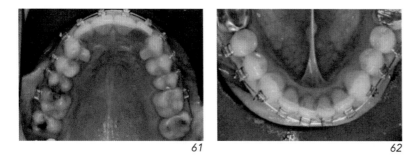

61   62

Figs. 63 to 65 observamos que en la pieza 22 la cual su odontólogo restaurador iba a realizar una nueva funda (coronoplastia positiva), se realizó un recorte gingival.

Figs 66, 67, and 68 se exponen imágenes de arcos.020 x .020" **Niti Broad Pitts** superior e inferior con elásticos 3/16" 4 oz.

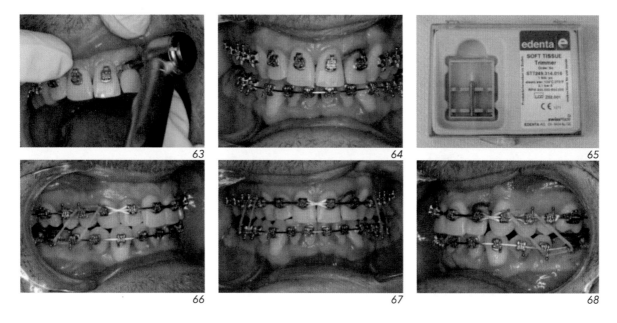

63   64   65

66   67   68

Se realizan luego detalles de microestética que buscan mejorar el relacionamiento estética blanca-estética rosa, por disminución de pequeños ángulos negros a gingival del punto de contacto.

A los efectos de migrar los puntos de contacto hacia apical, se realiza desgaste interproximal.

El cierre de esos pequeños espacios con cadena elástica por debajo y con arcos en este caso .020 x .020" Beta Titanio. *Figs 69 to 83*

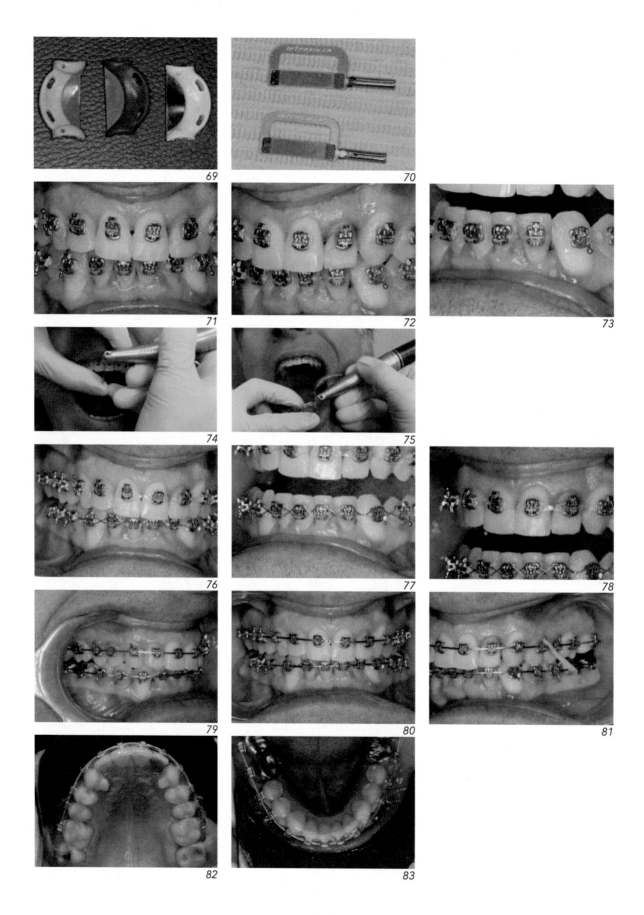

En detalles finales se vuelve a un arco más flexible utilizándose .018 x .018 Niti Ultra Soft con elásticos en **L** 5/16" (diámetro) - 2,5 oz (fuerza) y laterales entre 24 y 36 de 3/16" (diámetro) - 4 oz (fuerza) *(Fig. 84 to 86)*

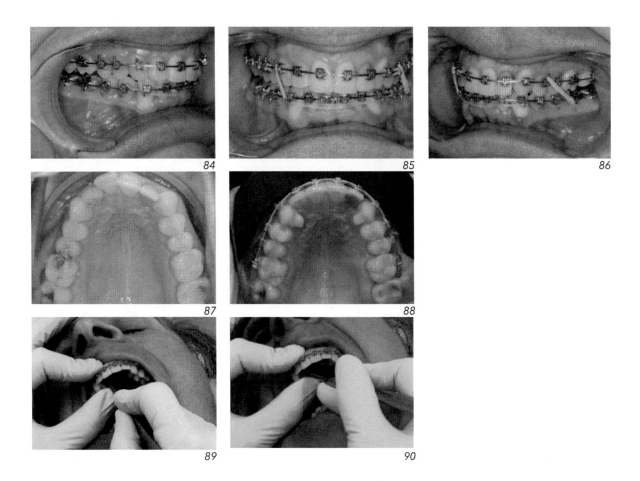

Figures 87, 88, 89, and 90 se observa el desarrollo del arco superior por un lado y por otro una Fibrotomía de fibras circulares Supracrestales en caras proximales y palatina de las piezas 12 y 22, para que al reinsertarse en la posición corregida tengamos mayor estabilidad postratamiento.

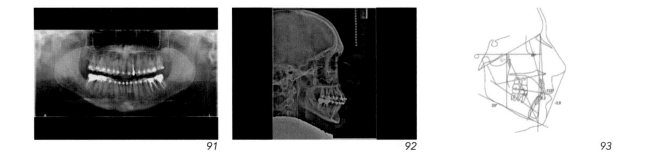

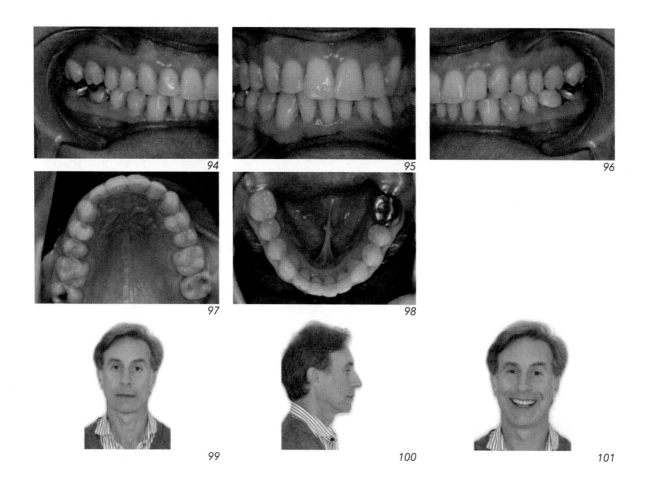

94   95   96

97   98

99   100   101

Desde las *figuras 91 to 101* se muestran Rx finales, intraorales y fotos de cara, mientras que en la *figuras 102, 103 and 104* vemos el buen mantenimiento de una inclinación incisiva superior que se presentaba correcta en el pretratamiento (verde) así como una ligera rotación en sentido horario del plano oclusal.

En las fotografías de sonrisa pre y post tratamiento se observa un mejoramiento notorio de los "corredores bucales", la exposición vertical de incisivos superiores (V.I.P) y arco de la sonrisa (S.A.P) *Figs. 105 to 109*

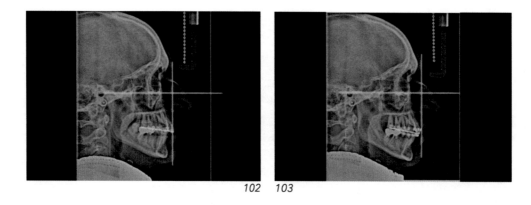

102   103

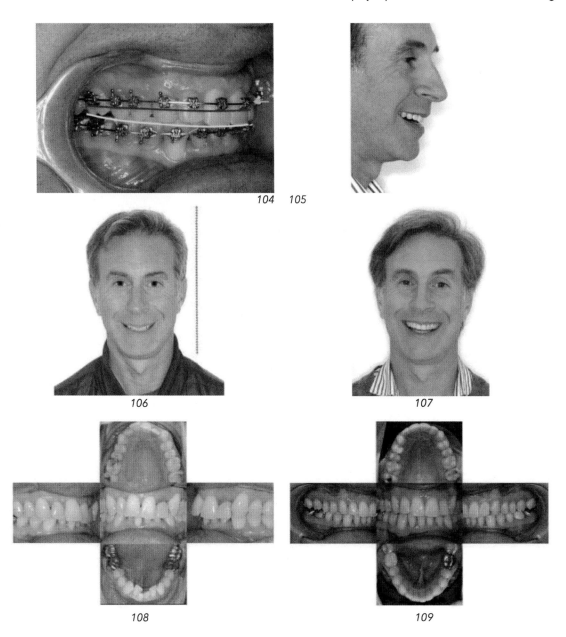

104   105

106

107

108

109

SECCIóN 2

LOS TIEMPOS EN BIOMECÁNICAS SIMULTÁNEAS

Sección 2
Los tiempos en Biomecánicas Simultáneas
Capítulo 4
Introducción

Mis cosas favoritas en la vida no cuestan dinero.
Está realmente claro que el recurso más preciado que todos tenemos es el tiempo.
Steve Jobs 1955-2011
Destacado informático y empresario estadounidense fundador de Apple.

Tradicionalmente, en ortodoncia, los tratamientos eran secuenciales; primero se abordaban los problemas transversales, luego los verticales, y más tarde, los antero-posteriores; incluso en autoligables pasivos los elásticos eran utilizados recién en etapa de arcos de acero desde postes «crimpados» en ellos.

Por otra parte, si existía un desbalance muscular, probablemente era abordado pos-tratamiento con ayuda de fonoaudiología (logopedia) en su reeducación; todo este proceso puede ser efectivo, es decir conducir a la resolución del caso, pero demora un tiempo que muchas veces desanima al paciente, sobremanera si es adulto.

En un momento el **Dr. Thomas Pitts** y el enorme colaborador-difusor de su «filosofía ortodóntica», el **Dr. Duncan Brown**, comienzan con biomecánicas simultáneas y el uso de los elásticos desde el inicio mismo de los tratamientos dando el primer gran paso que fue complementado con brackets autoligantes pasivos de ranura más reducida, las desoclusiones y la ejercitación neuromuscular que nos conducen hacia una ortodoncia efectiva, pero a la vez, más eficiente. *(Figs. 1 a 11)*

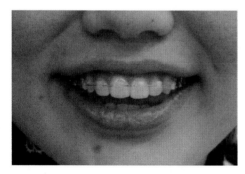

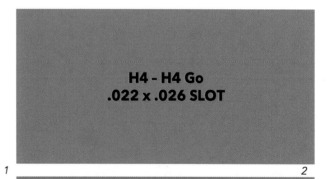

H4 - H4 Go
.022 x .026 SLOT

1 · 2

Pitts21

PITTS21

.021 X .021 ANTERIORES

.021 X .023 BICÚSPIDE

.021 X .024 MOLARES

3 · 4

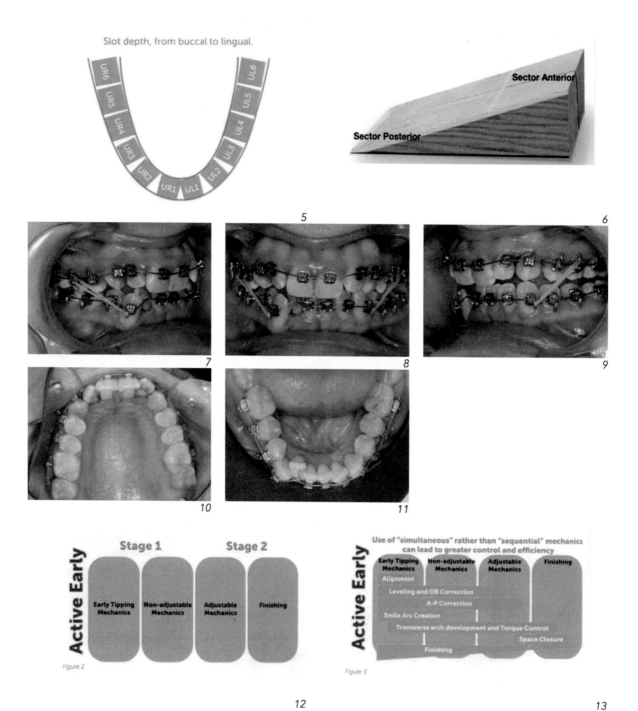

Siguiendo dichos protocolos **«Active early»** de multitareas y logrando tempranamente un control 3D de las piezas con la combinación de ranuras cuadradas y arcos cuadrados con pronto encastre **«Early engagement»**, hemos reducido notoriamente el tiempo-duración de los tratamientos activos incluso con mayor estabilidad en sus resultados.

El orden de consultas y lo que se realiza en cada una puede variar de un profesional a otro, pero quienes pregonamos y profesamos la filosofía del Dr. Thomas Pitts, sabemos el valor y la importancia de las biomecánicas simultáneas para reducir el número de visitas del paciente y ello conlleva la reducción de los tiempos de tratamiento.

En nuestra clínica el tratamiento en su inicio lleva tres consultas muy cercanas en el tiempo una de la otra, pero diferentes entre sí. Ellas son:

1° consulta

Montaje de aparatología en arcada superior. (generalmente hasta primeros molares)
Prescripción - A elección. (Ver conferencia "Antes de cementar... Pensemos en la prescripción" en la plataforma *ESPARTA Formación espartaformacion.learnworlds.com*)
Arco .014" Niti Pitts Broad o .018 x .018" Niti Ultra Soft Pitts Broad (casos de poca discrepancia dentaria)

2° consulta

Desoclusiones + cementado de tubos y brackets inferiores. (generalmente hasta primeros molares).
Prescripción - A elección. (Ver conferencia "Antes de cementar... Pensemos en la prescripción" en la plataforma *ESPARTA Formación espartaformacion.learnworlds.com*)

3° consulta

Objetivos: motivación y enseñanza del uso de elásticos, así como de la ejercitación neuromuscular.

Es aquí que en nuestro concepto comienza realmente el tratamiento con las citadas Biomecánicas Simultáneas (***«Active Early»***) que ahorran entre 6 a 12 consultas por caso y por consecuencia, otro tanto en tiempo tratamiento cambiando sustancialmente la eficiencia profesional.

¿Qué multitareas implica el «Active Early»?

1) Recontorneos *de* esmalte pre cementado de brackets.

Dichas coronoplastias negativas son tenues, realizadas generalmente en caninos superiores y sin afectar su funcionalidad de guía canina en lateralidad. También se solucionan pequeñas irregularidades, de existir, en bordes incisales de incisivos. *(Figs 14 y 15)*

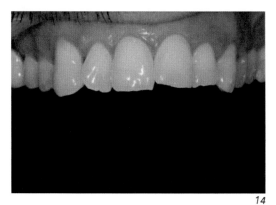
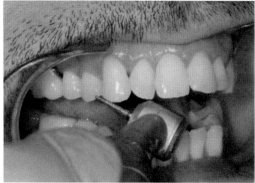

14   15

2) De acuerdo a Diagnóstico **D** pueden existir procedimientos inversos al apartado anterior, es decir realizar coronoplastias positivas adicionando material restaurador en piezas con fracturas o desgastes excesivos. También se podrá realizar recorte gingival.

En lo que a nosotros refiere, generalmente el recorte gingival que conlleva un reposicionamiento de brackets lo llevamos a cabo cuando cementamos tubos de segundos molares y progresamos a arcos .018 x .018" Niti Ultra Soft Broad Pitts. *(Figs 16 a 18)*

 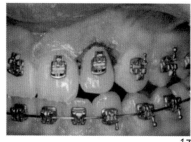 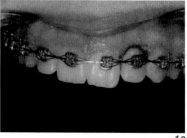

16　　　　　　　　　17　　　　　　　　　18

3) Realizar el cementado de tubos y brackets teniendo "el final en mente", esto con el objetivo de conseguir tanto una oclusión funcional como también una buena estética tomando como referencia al arco de la sonrisa (S.A.P), la exposición vertical incisiva (V.I.D), y el (V.I.P) posicionamiento vertical más visualización estética anteroposterior de incisivos superiores.

Recordemos que con las referencias de cementado en el maxilar superior *(ver capítulo 2 y 3),* el arco no queda paralelo al plano oclusal (referencias de Arco Recto) sino ligeramente divergente hacia el sector anterior (efecto Wedge o Cuña). *(Figs 19 a 26)*

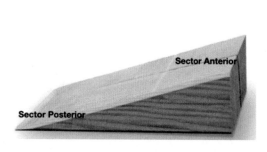 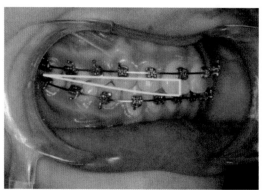

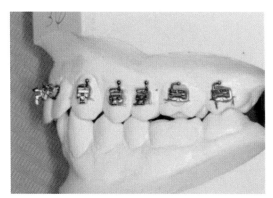

19

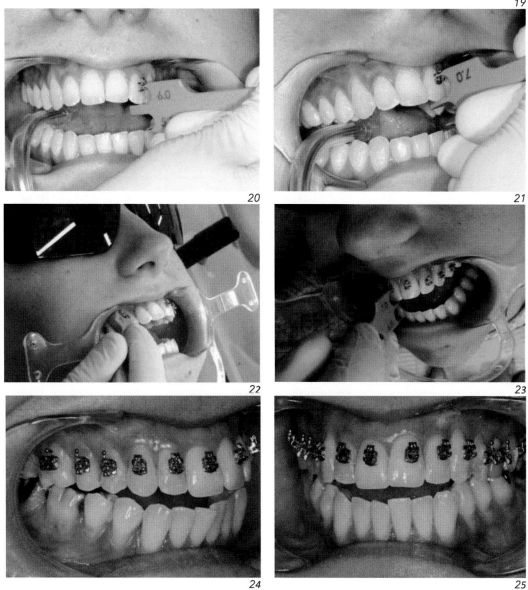

20   21

22   23

24   25

26

4) Cementado inferior acorde a las exigencias del caso y en coordinación con lo realizado en el montaje superior. *(Figs 27 a 29)*

Tener en cuenta que el cementado del maxilar superior es por estética y el inferior es por overbite; existe un cementado diferencial para mordida profunda y mordida abierta.

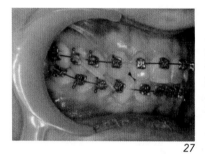
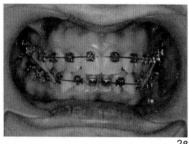
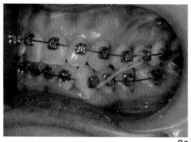

27 *28* *29*

5) Desarrollo de los arcos en diámetro y perímetro según Diagnóstico **D** y Planificación **P**. En nuestro concepto este objetivo se cumple principalmente con el empleo de fuerzas suaves liberadas en la combinación de:

Ligación pasiva + arcos NiTi .014" Broad Pitts y .018 x .018" NiTi Ultra Soft Broad Pitts.

En ciertas circunstancias dicho desarrollo del arco dentario es potenciado por elásticos "a través" de la arcada. *(Figs 30 a 65)*

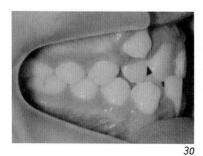
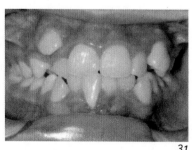
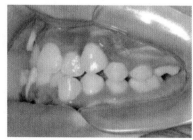

30 *31* *32*

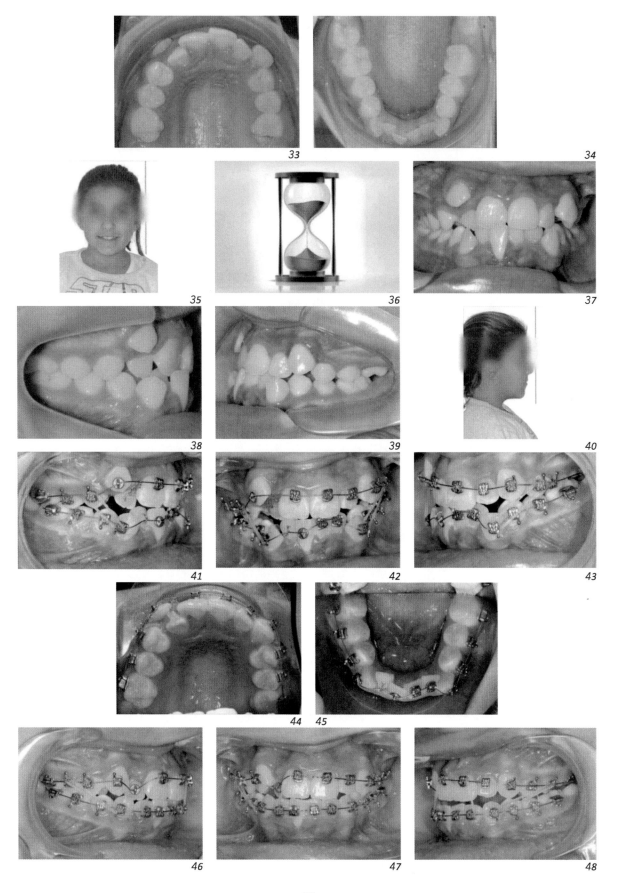

33

34

35

36

37

38

39

40

41

42

43

44   45

46

47

48

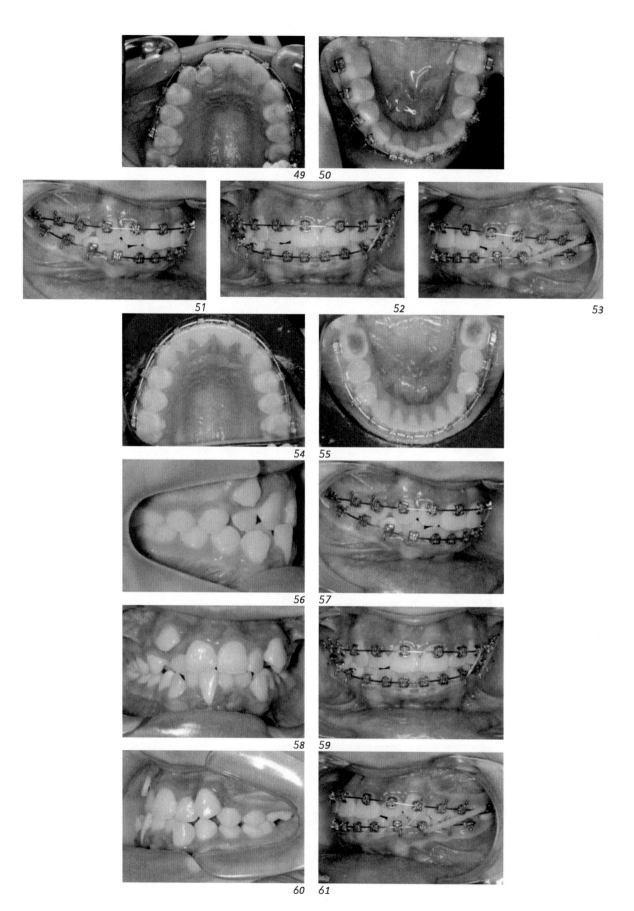

49 50

51   52   53

54 55

56 57

58 59

60 61

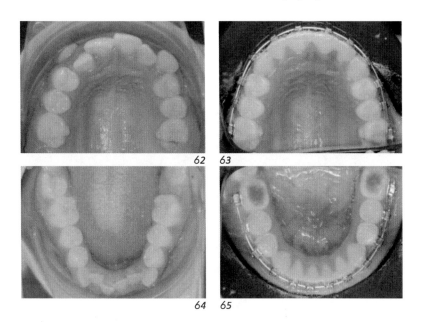

62 63

64 65

PLENITUD LABIAL / TEJIDO BLANDO MENTóN

6) Poner en marcha la tríada

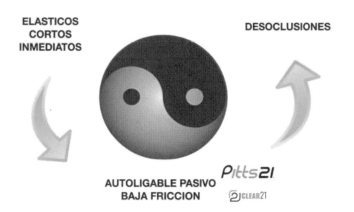

Estos 3 componentes del vehículo **V** son utilizados de acuerdo a necesidades diagnósticas **D** y con determinada biomecánica **B** ellas dependen y se potencian entre sí.

Los tratamientos ortodónticos buscan el movimiento dental a una posición adecuada a través de fuerzas mecánicas a los dientes. Los elásticos son fuente de fuerza y se utilizan como componentes activos. *(Figs 66)*

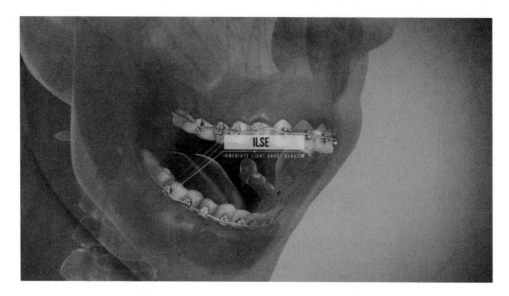

66

Los elásticos (I.L.S.E)

- Son más efectivos y eficientes con sistemas autoligantes pasivos y asociados a desoclusiones.

- Son mejores inmediatos, al comenzar el tratamiento, que tardíamente.

- En el inicio y con arcos de baja relación carga-deflexión son mejores Light (2.5 oz.).

- En el inicio y con arcos de baja relación carga-deflexión, son mejor cortos que largos.

- Pueden utilizarse desde piezas dentarias individuales o grupalmente.

- Deben cambiarse diariamente. (Después de 2 horas, la fuerza de los elásticos disminuye un 30%, después de las 3 horas, un 40 %; Hixon, E. Percentage of elastic force lost in the mouth, Am Jour Orthod.1970)

- No son parte del tratamiento, son "EL" TRATAMIENTO cuando existe un problema intermaxilar a resolver, y, por tanto, es recomendable su utilización lo más cercana posible al tiempo completo. *(Figs 67 a 76)*

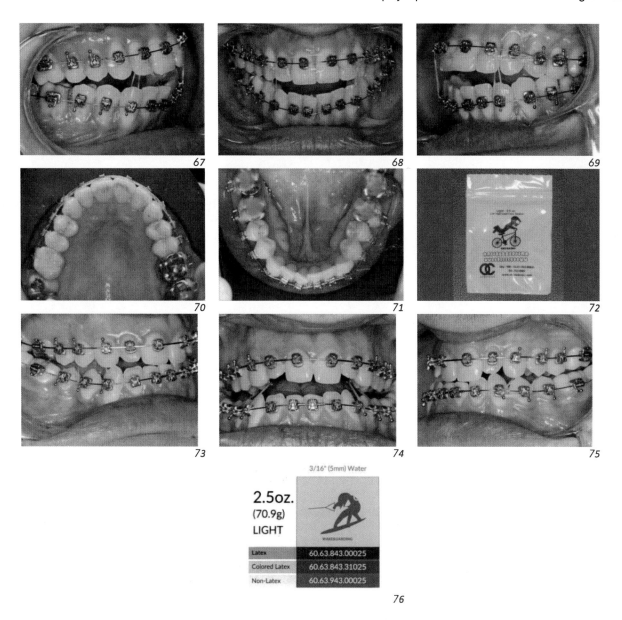

7) Comenzar tempranamente la ejercitación neuromuscular.

Aquí, en esta sección, y más en esta pequeña introducción, volcaremos unos pequeños conceptos sobre la ejercitación muscular a la que ubicamos claramente como componente fundamental, en ciertos tratamientos, de la Biomecánica **B** .

En el cuerpo humano existen 3 tipos diferentes de músculos a saber:

1. **Cardíaco:** Obviamente presente en el corazón

2. **Liso:** En vasos sanguíneos, paredes intestinales, etc.

3. **Estriado:** El esquelético es el que está vinculado a huesos y responsable del traslado o movimientos que pueden existir, por ejemplo, al caminar o correr.

Cada músculo estriado-esquelético está compuesto de un vasto número de células o fibras paralelas entre sí y separadas por tejido conectivo que contiene pequeños vasos sanguíneos y nervios. *(Figs 77)*

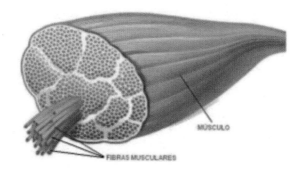

77

- No todos los músculos son iguales.
- Hay músculos más fuertes y explosivos que otros.
- Y músculos más resistentes a la fatiga que otros.
- Mucho de esto, está determinado por el tipo de fibras del músculo en sí.

Existen tres variedades de fibras musculares esqueléticas:

Y cada tipo de fibra es única en su capacidad para contraerse de una manera determinada:

1. Fibras rápidas:
La mayoría de las fibras del músculo esquelético en el cuerpo se llaman fibras rápidas, ya que pueden contraerse en 0,01 segundos o menos después de la estimulación.
Los músculos dominados por las fibras rápidas producen fuertes contracciones.
Respecto a la fatiga, las fibras rápidas se agotan con rapidez.

2. Fibras lentas:
Las fibras lentas son solo la mitad del diámetro de las fibras rápidas y se toman tres veces más tiempo para contraerse después de la estimulación.
Las fibras lentas son diseñadas para que puedan continuar trabajando por períodos prolongados.

3. Fibras intermedias:
Son una combinación entre las de las fibras rápidas y fibras lentas.
En atletismo las conformaciones físicas de un velocista (100 mts.), un corredor de distancia media (1.500 mts.), o un maratonista (42 km), son bastante diferentes; en los primeros

predominan fibras de contracción rápida, en los corredores de larga distancia la supremacía es hacia las de contracción lenta, y en los medio- fondistas ambas se combinan en proporciones bastante similares.

Los músculos esqueléticos, más allá de la variedad de composición de sus fibras, pueden contraerse de forma isotónica o isométrica.

A. Contracción isotónica:

El término "isotónica" significa "de igual tensión".

En este tipo de contracción, las fibras de nuestros músculos se acortan y se alargan.

Las fibras musculares se contraen y modifican su longitud. - Acortándose (isotónica concéntrica): el músculo actúa, generando tensión, para superar una determinada resistencia. - Alargándose (isotónica excéntrica): ante una resistencia, ejercemos tensión en el músculo a la vez que lo vamos alargando.

Ciertos pacientes braquifaciales con dimensión vertical disminuida, contractura de músculos maseteros y desgastes en incisivos inferiores pueden beneficiarse con ejercicios de apertura bucal de «3 dedos» (contracción isotónica excéntrica, de estiramiento).

B. Contracción isométrica:

"Isométrico" significa "de igual medida o longitud".

En este tipo de contracción, el músculo está estático (es decir, ni se alarga ni se acorta, su longitud no varía, como sí ocurre en otros tipos de contracción muscular); además, se genera una tensión en él.

Terapéuticamente la contracción isométrica es muy usada para rehabilitación muscular y/o articular al no generar estrés en estos últimos; siendo más "amigables" para ellos - (A.T.M). En las biomecánicas simultáneas en casos de pacientes dólicos las utilizamos para fortalecimiento de músculos elevadores, particularmente haces posteriores del temporal, como mecanismo de intrusión dentoalveolar en sectores posteriores y también como fortalecimiento del A.T.M.

8) Existen procedimientos de micro estética ya expuestos en la Primer sección (Paciente 2) de la primera sección y son referidos a la disminución o solución de "triángulos negros" a gingival del punto de contacto.

Simplemente recordaremos que esta situación puede presentarse por alguna de estas tres variables o combinaciones de ellas, a saber:

1. Incisivos de forma triangular o en forma de "tonel".

2. Pérdidas de soporte óseo periodontal pre-tratamiento o agravada en el tratamiento.

3. Error de paralelismo al eje en cementado de brackets.

En ciertas situaciones la completa solución de este problema de micro estética asociada al relacionamiento estética blanca ↔ estética rosa requiere cirugía periodontal. *(Figs 78 a 88)*

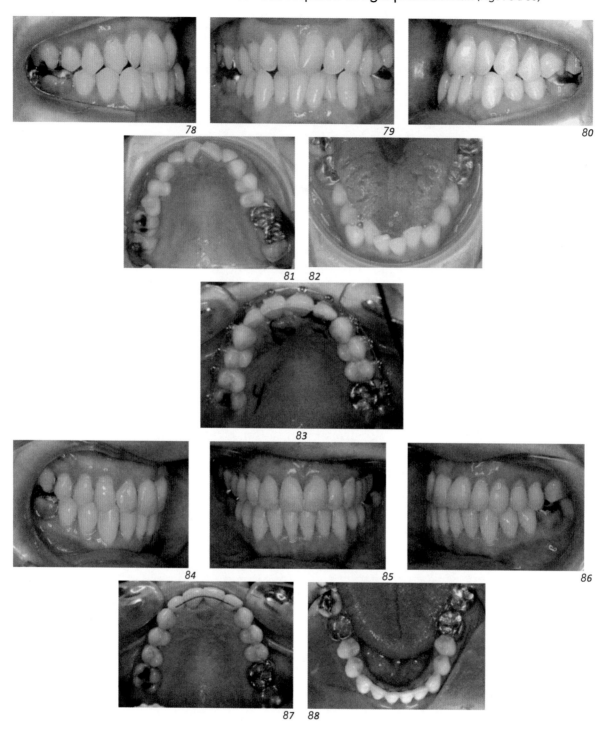

9) Aunque se efectiviza tiempo más adelante la o el ortodoncista debe pensar en el "día después" o sea los procedimientos de contención pos-tratamiento activo;

Aquí en muchas situaciones el diagnóstico **D** incluye desandar el camino etiopatogénico de la dismorfosis que se nos presenta clínicamente.

En un capítulo de esta sección la **Dra. Marisa Villalba** incluirá importantes conceptos referidos a este tópico.

Sección 2
Los tiempos en Biomecánicas Simultáneas

Capítulo 5
Paciente 3

DIAGNÓSTICO

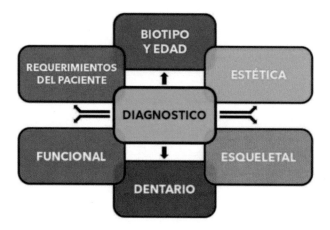

Paciente de 17 años y Biotipo mesofacial, tercio inferior de cara retruído con respecto a normas ideales de marcroestética.

Pobre exposición vertical (V.I.P) en sonrisa de sus incisivos superiores y tercio inferior de cara disminuido en tamaño con respecto al tercio medio.

En el área dentaria presenta:

- Overbite aumentado (sobremordida), con desgaste de bordes incisales inferiores.

- Clase II.

- Retención por palatino de ambos caninos superiores (Pronóstico favorable).

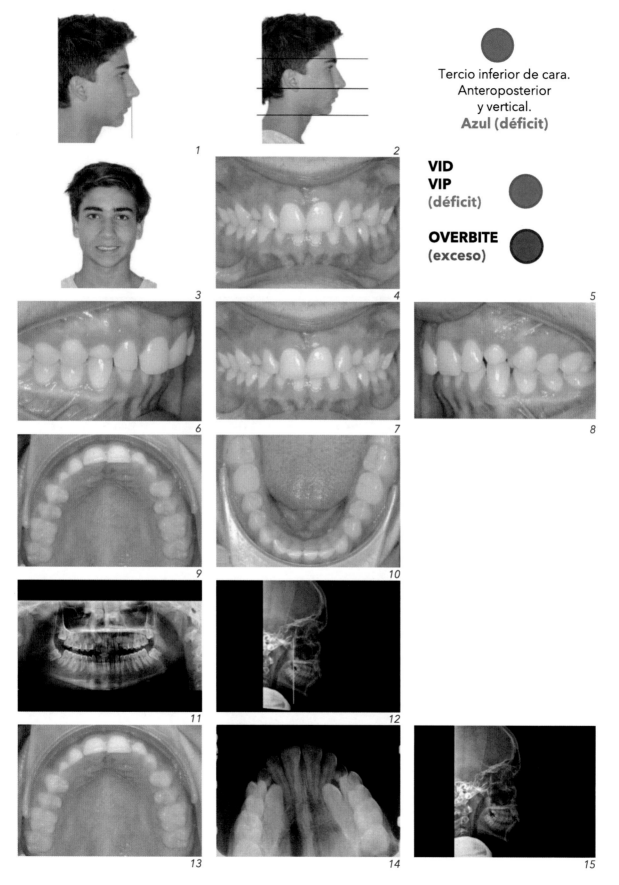

Tercio inferior de cara.
Anteroposterior
y vertical.
Azul (déficit)

VID
VIP
(déficit)

OVERBITE
(exceso)

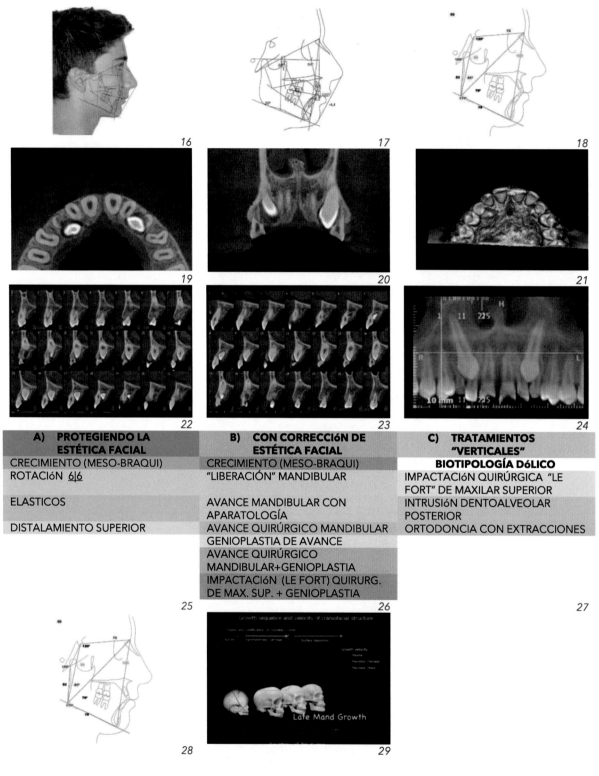

A) PROTEGIENDO LA ESTÉTICA FACIAL	B) CON CORRECCIÓN DE ESTÉTICA FACIAL	C) TRATAMIENTOS "VERTICALES" BIOTIPOLOGÍA DóLICO
CRECIMIENTO (MESO-BRAQUI) ROTACIóN 6|6	CRECIMIENTO (MESO-BRAQUI) "LIBERACIÓN" MANDIBULAR	IMPACTACIóN QUIRÚRGICA "LE FORT" DE MAXILAR SUPERIOR
ELASTICOS	AVANCE MANDIBULAR CON APARATOLOGÍA	INTRUSIóN DENTOALVEOLAR POSTERIOR
DISTALAMIENTO SUPERIOR	AVANCE QUIRÚRGICO MANDIBULAR GENIOPLASTIA DE AVANCE	ORTODONCIA CON EXTRACCIONES
	AVANCE QUIRÚRGICO MANDIBULAR+GENIOPLASTIA IMPACTACIóN (LE FORT) QUIRURG. DE MAX. SUP. + GENIOPLASTIA	

Como se aprecia en la figura 26 nuestro paciente está en el grupo B) de nuestra particular clasificación en los tratamientos clase II.

- En las figs. 28 y 29 se aprecian dos factores favorables para la resolución de la clase II mediante la implementación de un tratamiento que proponga un avance mandibular, ellos son:

- Edad, con remanente aún de crecimiento (17 años).

- Tendencia de crecimiento (Jarabak).

PLANIFICACIóN Y VEHÍCULOS (PV)

Al existir múltiples requerimientos del paciente, entre ellos correcciones de estética e intermaxilares , se optó como vehículo terapéutico un sistema de brackets autoligables pasivos (PSL) H4, que posteriormente fue sustituido en sectores de incisivos y caninos por Pitts21.
Dicho vehículo fue complementado en principio, con elásticos cortos 3/16" de 2.5 oz y desoclusiones tipo Twin Block en premolares superiores e inferiores.

BIOMECÁNICA

BIOMECÁNICAS SIMULTÁNEAS
1. DESARROLLAR LOS ARCOS (FORMA)
2. CONTROL DE TORQUE (PRESCRIPCIóN)
3. ESPACIO PARA CANINOS SUPERIORES
4. CIRUGÍA DE CANINOS SUPERIORES
5. BIOMECÁNICA DE CANINOS SUP. (TORQUE)
6. DISEÑA S.A.P. y V.I.P.
7. CORRECCIóN VERTICAL
8. CORRECCIóN ANTERO POSTERIOR (CLASE I I)
9. EJERCICIOS NEUROMUSCULARES
10. "PENSAR EN LA CONTENCIÓN"

Si bien señalaremos separadamente las diferentes etapas del tratamiento, ellas fueron abordadas como Biomecánicas Simultáneas, es decir que estas correcciones fueron realizadas en conjunto y no de modo secuencial.

"RESCATE" DE CANINOS Y CONTROL DE TORQUE ANTEROSUPERIOR

- Cirugía WINDOW (ventana) esperando luego 45 días para autoerupción de dichas piezas; nuevo recorte gingival e involucrar 13 y 23 con arco .014" NiTi Pitts Broad

- Al captar los caninos el arco Niti sufre un cierto atrapamiento que impide el deslizamiento (Binding), esto generaría una protrusión, por ende proinclinación incisiva.

Para controlar dicho movimiento se utilizó elástico 5/16" 2,5 oz (Rainbow); también se indicaron uso de 3/16" 2,5 oz. Clase II cortos. *(Figs 31 a 38)*

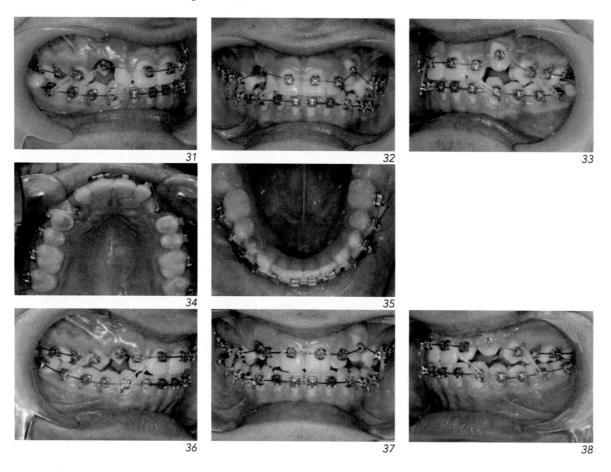

Como se aprecia en las figuras las desoclusiones habían sido cementadas en premolares en forma de bloques gemelos (Twin Block), haciendo una propuesta progresiva de avance mandibular con el objetivo de preservar el labio superior y mejorar la proyección del mentón. *(Figs 36 a 38)*

Desde un comienzo se le indicó al paciente ejercitación neuromuscular que consistía en contracciones isotónicas excéntricas, (stretching-estiramientos) de los músculos elevadores (especialmente maseteros) con ejercicios de apertura bucal de 3 dedos. *(Fig 40)*

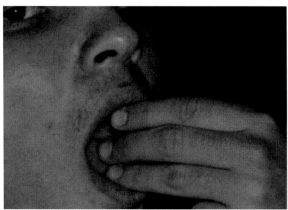

40

Dichos ejercicios los indicamos en 10 series diarias de 10 segundos cada una.

Con la inclusión de los segundos molares pasamos a los arcos .018 x .018" Niti Ultra Soft, siempre combinando elásticos y Twin Block.

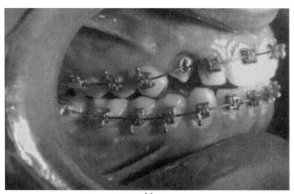

41

La utilización de los bloques gemelos se extendió durante 7 meses; En ellos los últimos 4 meses la mandíbula debe de permanecer en posición de sobrecorrección.

La activación de avance mandibular se efectiviza con adición de material en la vertiente mesial de los bloques superiores.

ES CLARO QUE EL CRECIMIENTO EN BIOTIPO MESO O BRAQUI "AVANZA" LA MANDÍBULA, PERO SURGIRÁ LA GRAN PREGUNTA:

¿EL AVANCE MANDIBULAR INTRODUCIDO POR TRATAMIENTO GENERA CAMBIOS ANATóMICOS ESTABLE S EN LA A.T.M?

42   43

El avance mandibular paulatino, realizado a "tiempo completo", en edad de crecimiento, con biotipo y estructuras favorables, hacen posibles una corrección estable y saludable en el tiempo.

Ese avance mandibular distendería, también, los músculos suprahiodeos, aparentemente contracturados y que llevan al hioides a una posición más posterior que lo ideal. *(Figs 44)*

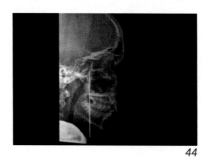

44

Al retirar los bloques se instalaron arcos de NiTi .020 x .020" Pitts Broad con elásticos clase II 3/16" 4 oz. cortos y 5 semanas más tarde continuamos con acero .019 x .019 y biomecánica para cerrar un pequeño espacio a distal del 23. *(Figs 45 a 47)*

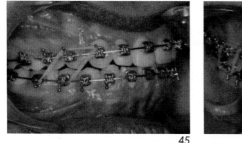

45

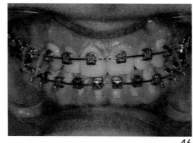

46

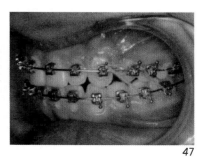

47

Desde figura 48 al 66 se observan RX finales, fotos de boca, cara y video del paciente postratamiento.

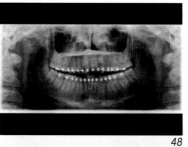

48

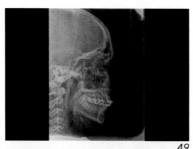

49

50

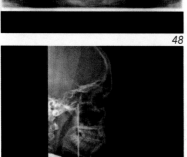

51

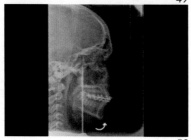

52

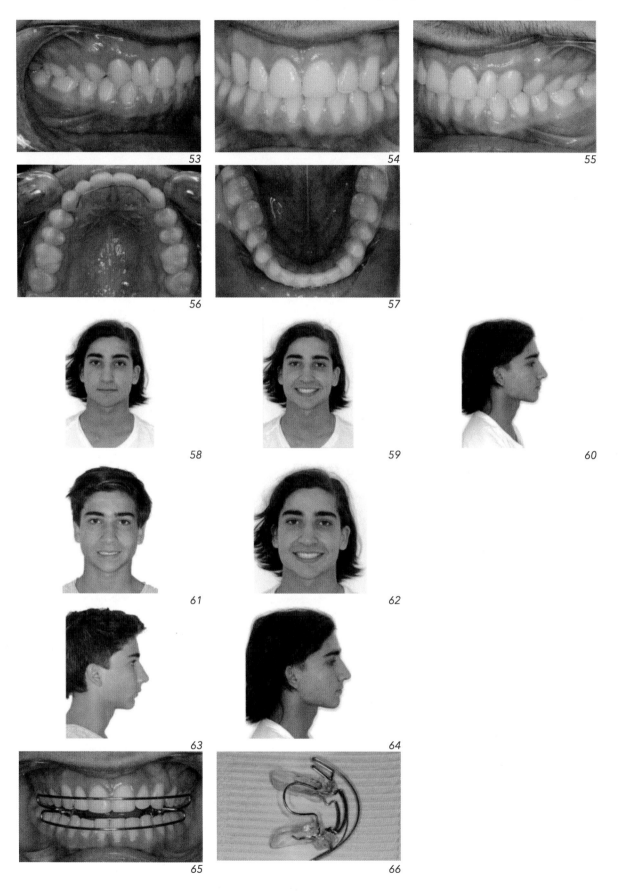

53

54

55

56

57

58

59

60

61

62

63

64

65

66

Los tiempos en Biomecánicas Simultáneas

Capítulo 6
Paciente 4

El tiempo pasa, siempre acaba pasando; es solo cuestión de tiempo
Jorge Wagensberg
Profesor, investigador y escritor español nacido en Barcelona (1948)

Paciente adulta, joven, con requerimientos de estética dentaria y funcionales. *(Fig 1 a 3)*

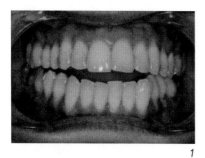 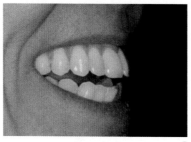 

1   2   3

 DIAGNóSTICO

En **MACROESTÉTICA**:

- Equilibrio de tercios faciales **(verde)**

En **MINIESTÉTICA**:

- Una sonrisa que muestra una buena exposición vertical (VID) **(verde).**

- Curva inversa de la sonrisa con ausencia de S.A.P **(azul).**

- Marcada proinclinación incisiva **(rojo).** *(Figs 6 a 12)*

 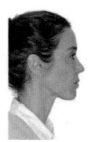 

4   5   6

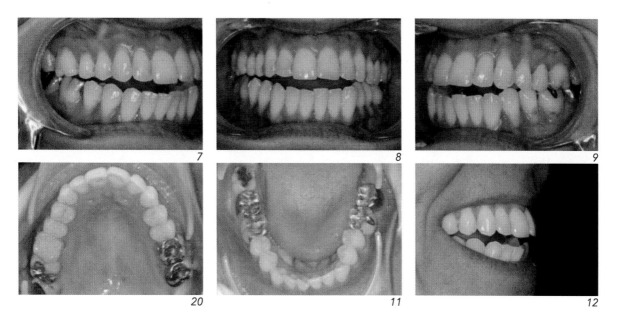

Análisis esqueletal/biotipológico

Biotipológicamente dólica suave, estábamos ante una mordida abierta con ligero matiz de divergencia basal. *(Figs 13 a 19)*

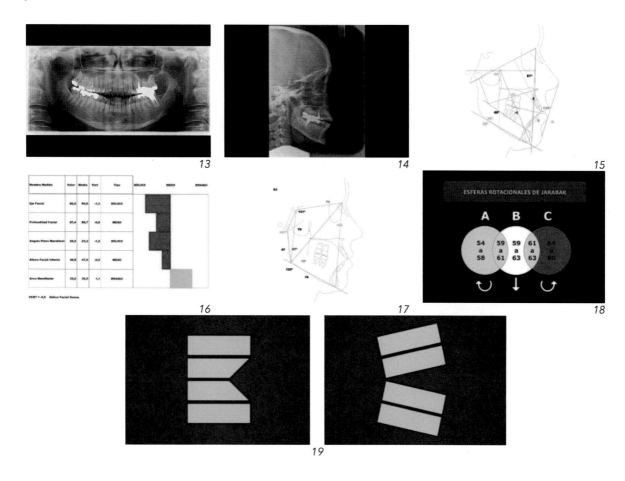

Análisis dentario

- El área dentaria muestra una mordida abierta anterior con mal relacionamiento transversal de las arcadas, una oclusión de clase I y -5 mm de discrepancia dentaria **(azul)** en el arco inferior.

- Un aspecto nada menor del Diagnóstico es que el nivel de soporte periodontal estaba notoriamente disminuido **(azul)**.

- En panorámica es dable observar varias restauraciones y la presencia de 3° molares superiores e inferiores en boca.

- Una gran disfunción en deglución nos llevaba a interrogar por la o las etiología/s primaria/s de este caso que según relataba la paciente fueron respiración bucal y el hábito de succión digital; en el inicio del tratamiento ortodóntico ninguna de esas causales se mantenían activas. *(Fig. 20)*

ETIOLOGÍA PRIMARIA
• **HÁBITO/s**
• **RESPIRACIÓN BUCAL**
• **PROBLEMAS LINGUALES**
• **ANQUILOSIS DENTARIA**
• **CRECIMIENTO**

20

PLANIFICACIÓN Y VEHÍCULOS (PV)

Debido a la muy agradable macroestética referida a su perfil, la evaluación del ángulo nasolabial de la paciente así como el importante problema periodontal que presentaba:

Comencemos por el **NO**

NO EXTRACCIÓN DE PREMOLARES (si es parte de un plan que tuviese como objetivos la retracción anterosuperior, solución a la discrepancia dentaria negativa inferior y la mordida abierta anterior).

¿Cómo es posible entonces?

Para ser posible la planificación tendrá **SI** que incluir:

1. El desarrollo de los arcos dentarios

2. La intercoordinación oclusal transversal de ellos.

3. Extracción de 4 terceros molares: 18 – 28 - 38 y 48.

4. La retracción anterosuperior donde se combinarían

    A. La prescripción «flocked» (giro de 180") en incisivos y caninos superiores. *(Fig. 21)*

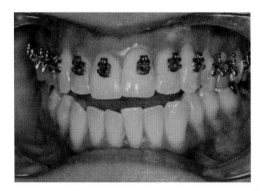

21

    B. Apropiadas referencias de cementado y progresión de arcos. *(Figs. 22 a 25)*

    C. Cadena de Torque en principio en el arco superior y luego en ambas arcadas. *(Fig. 26)*

    D. Desgaste interproximal (I.P.R) en incisivos y caninos superiores e inferiores. *(Figs. 27 Y 28)*

5. Intrusión dentaria posterior a lograr por una apropiada ejercitación de contracciones musculares isométricas sobre desoclusiones posteriores.

6. Reeducación de deglución con recordadores linguales

7. Protocolo «Active Early» de Biomecánicas Simultáneas

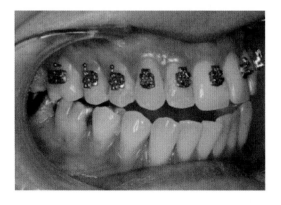

22

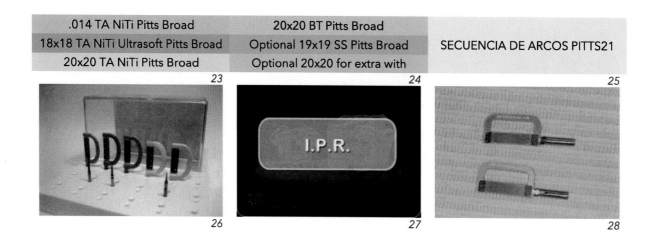

.014 TA NiTi Pitts Broad	20x20 BT Pitts Broad	SECUENCIA DE ARCOS PITTS21
18x18 TA NiTi Ultrasoft Pitts Broad	Optional 19x19 SS Pitts Broad	
20x20 TA NiTi Pitts Broad	Optional 20x20 for extra with	

23   24   25

I.P.R.

26   27   28

VEHÍCULO/S TERAPÉUTICO/S (V)

Se utilizaron brackets y tubos *Pitts21;* estos últimos en primeros y segundos molares superiores tienen un torque de -27° contrarrestando así la proinclinación posterior generada por arcos amplios (Broad Pitts) *(Fig 29 a 31)*

Pitts21

CUADRADO
EN SECTORES ANTERIORES
RECTANGULAR
EN SECTORES POSTERIORES

Slot depth, from buccal to lingual.

29   30   31

Para llevar a la práctica la ejercitación y reeducación muscular se cementaron desoclusiones en caras oclusales de primeros y segundos molares inferiores, así como recordadores linguales en el sector de incisivos inferiores. *(Figs 32 a 33)*

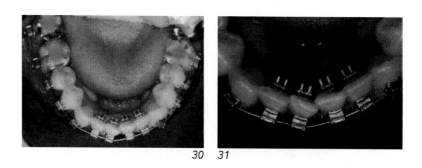

30 31

También con una adecuada Biomecánica se utilizaron otros dos vehículos para lograr los objetivos del Plan de tratamiento.

- Arcos Broad Pitts

- Cadenas de Torque

Establecida la Planificación y qué "vehículos" utilizar (P.V) ahora nos toca ir hacia un tratamiento efectivo, eficiente y abordado con protocolos «Active Early» de Biomecánicas Simultáneas.

B BIOMECÁNICA

1) Se comenzó con arcos .014" NiTi Pitts Broad

2) Desgaste interproximal inferior (I.P.R) de 2 mm de 3 a 3.

3) Cadena de Torque superior desde 14 a 24.

4) Comienzo de ejercitación neuromuscular de "apretamiento" (*squeezing*) en sectores posteriores. Se indicó 60 veces de apretamiento rápido 6 veces diarias.

5) Cementado de recordadores linguales en incisivos inferiores; se complementaban los ejercicios de apretamiento con apoyo lingual en rugas y bóveda palatina superiores (*lifting lingual*). La lengua es curiosa pero no tonta y huye de los recordadores modificando su posicionamiento bajo.

6) Elástico 5⁄16" light 2.5 oz. Vinculando sectores incisivos superiores e inferiores. *(Figs 34 a 41)*

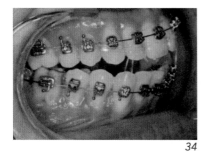
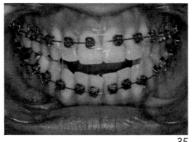
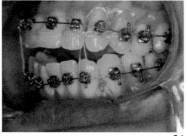

34 *35* *36*

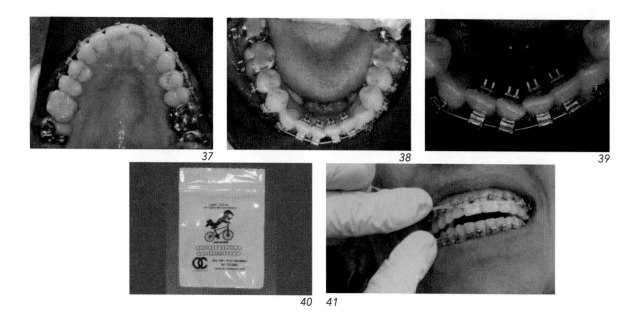

37 38 39

40 41

El segundo arco utilizado fue .018 x .018" Niti Pitts Broad y las fotos oclusales tomadas 2 semanas después de instalados nos muestran un sorprendente resultado en la corrección rotacional, esto gracias al encastre temprano con control 3D («Early engagement») logrado por el relacionamiento entre arco / slot. *(Figs 42, 43)*

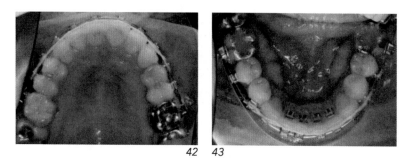

42 43

La progresión de arcos y las Biomecánicas Simultáneas continuó con arcos .020 x .020" Niti Pitts Broad, ahora con postes «crimpados», elásticos arco iris (*rainbow*) anteriores 5⁄16" 2,5 oz.

Se continuaron los ejercicios de ejercitación neuromuscular, así como con la cadena de Torque inferior. *(Figs 44 a 49)*

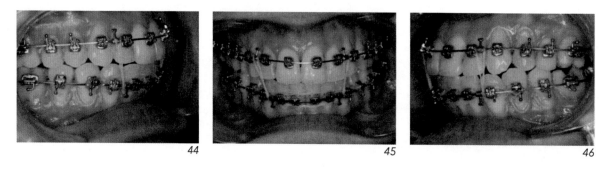

44 45 46

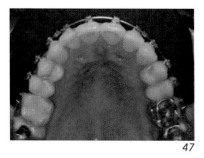

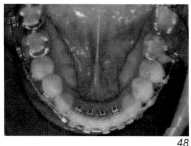

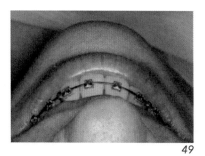

47

48

49

Seguidamente se instalaron arcos .020 x .020" B Titanio también con postes «crimpados».

Un pequeño desgaste interpoximal en caras mesiales de 11 y 21, sumado a cadena elástica por debajo del arco, solucionó un problema de microestética (triángulo negro a gingival de punto de contacto de dichas piezas observable en las fotos 50 a 52).

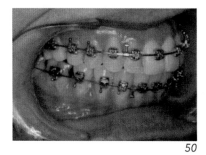

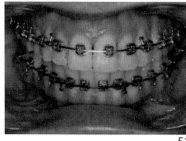

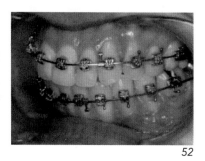

50

51

52

Se aprecia en figuras 53 y 54 la retracción anteriosuperior comparada con el pretratamiento. *(Figs 55)*

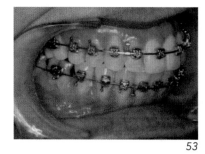

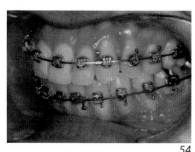

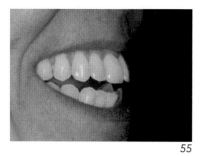

53

54

55

Desde la figura 56 a 68 se aprecian Rx finales así como fotos de boca y cara.

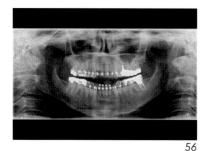

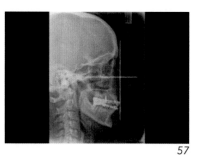

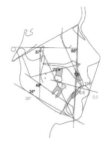

56

57

58

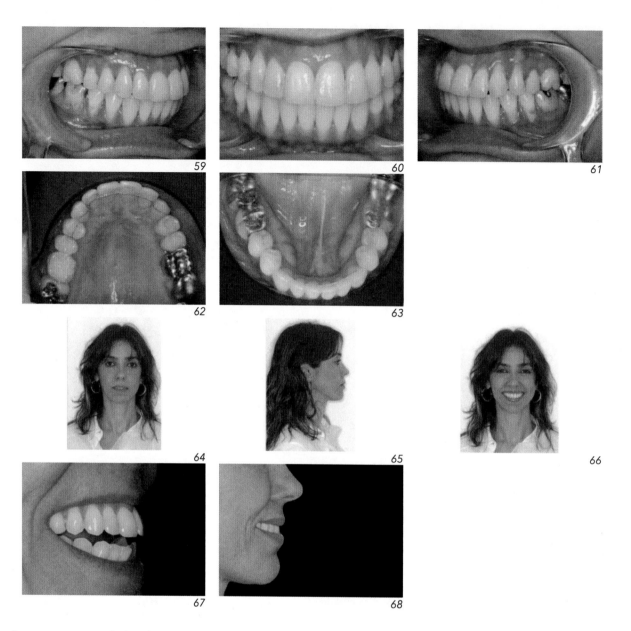

En el comparativo de las figuras 68 y 69 observamos el cambio en la inclinación incisiva superior entre pre y postratamiento (uno de los requerimientos de la paciente).

Más allá de las retenciones fijas cementadas en palatino y lingual de caninos e incisivos superiores e inferiores, se indicó un uso nocturno de Bionator (aparatología funcional Bimaxilar). *(Fig 69)*

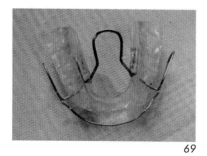

Sección 2
Los tiempos en Biomecánicas Simultáneas
Capítulo 7
Función y origen de la disfunción en los tratamientos

"Amo la simplicidad Externa, que cobija una gran complejidad interna"
Miguel de Unamuno
Escritor y filósofo español perteneciente a la generación del 98 (1864-1936)

Introducción

La etiología de las maloclusiones que observamos en la consulta diaria han sido estudiadas y analizadas por grandes maestros desde la antigüedad hasta nuestros tiempos siendo un tema de discusión entre distintas corrientes filosoficas. Hay quienes opinan que el origen de una maloclusión estaría supeditada a la herencia o genética y están quienes predican y apoyan la teoría de que el origen de la maloclusión estaría en la influencia en el individuo de lo epigenético - ambiental, donde la alteración de una o más funciones vitales, influyen en el desarrollo y crecimiento maxilar y dentoalveolar, terminando en una "deformación" del sistema, por compensación o adaptación a dicha alteración.

- En estos casos aparece el termino BINOMIO "FORMA-FUNCION" dónde la forma de los maxilares y desarrollo de los arcos dentarios será el resultado del equilibrio de las fuerzas musculares durante las funciones vitales. Si la FUNCION esta alterada, la "FORMA" estará alterada, mientras que si la FUNCION es correcta la FORMA de los maxilares y dentoalveolares será la adecuada.

- Sin duda no podemos poner "todos los huevos en la misma canasta", es decir, no todos los casos podemos incluirlos dentro de una u otra teoría, pero sí está claro que hay conceptos y conocimientos que no podemos dejar de lado ni perder de vista.

- Simplemente considerar al paciente niño, adolescente o adulto en su totalidad y no detenerse solamente en el estudio de la posición dentaria como único objetivo en nuestro tratamiento. Tengamos en cuenta que una "disfunción" puede ser la responsable tanto del ORIGEN de la maloclusión, como también de la PERDIDA DE ESTABILIDAD postratamiento.

En este capítulo veremos de una manera sencilla cuales son las FUNCIONES que debemos evaluar y detectar si están en desequilibrio con una doble finalidad según el estadío ortodóncico que se encuentre nuestro paciente:

- Si se trata de un niño en etapa de crecimiento nos será útil para erradicarla a tiempo y redireccionar su desarrollo.

- Si nuestro paciente está en etapa postratamiento, la evaluación de las funciones será de utilidad para determinar si estos factores darán estabilidad en el tiempo o tendremos que tenerlos presentes para reeducarlos y no considerar "finalizado" el tratamiento ortodóncico hasta que no esté rehabilitado integralmente, de lo contrario los logros obtenidos se perderán con facilidad.

- Por último, veremos las posibilidades TERAPEUTICAS, algunos de los VEHICULOS y EJERCICIOS MIOFUNCIONALES que podemos utilizar en esta rehabilitación para llegar al final del camino: alineaciones dentarias y normoclusion en un sistema muscular y funcional saludable y en equilibrio, donde la propia musculatura mantenga los logros ortodónticos alcanzados.

Disfunción y oclusión dentaria

Si una disfunción se instala tempranamente y no se diagnostica ni se intercepta a tiempo, el niño crecerá en esta situación pudiendo entonces encontrarnos con un adolescente/adulto con problemas dento alveolares y esqueletales.
Nuestra misión será tener presente los conceptos de normalidad, para poder identificar cuando están alteradas las funciones y si tuvieron o no responsabilidad en la etiología de la maloclusion, teniéndolo en cuenta para rehabilitar al paciente antes o durante el tratamiento ortodóntico.

¿Que está causando el problema?

No nos quedemos mirando solo en la "superficie"; Lo que está a simple vista, los dientes desalineados son un SIGNO/SINTOMA del problema, NO el problema; Debemos observar en "profundidad" los posibles factores disfuncionados que estarían originando la alteración del sistema, para erradicarlos y restablecer el equilibrio.

LA GENÉTICA? o ...
UN DESEQUILIBRIO FUNCIONAL?
▪ RESPIRACIÓN BUCAL
▪ DEGLUCIÓN ATÍPICA
▪ HÁBITOS ORALES
▪ POSTURA
▪ MASTICACIÓN INADECUADA
▪ PROBLEMAS PSICOLÓGICOS

En esta "profundidad" tendremos que evaluar: función de los músculos faciales, mecanismo de respiración y deglución, postura lingual y corporal, como así también el sueño, la alimentación, emociones y por último analizar la posibilidad de algún componente genético existente que nos servirá de guía para conocer "el terreno" donde trabajaremos y sus posibles respuestas a la terapéutica.

Análisis funcional

Binomio Forma - Función

Como lo sugirió el Dr. Melvin Moss en su teoría de la matriz funcional **"LA FUNCION HACE A LA FORMA"**, a través de la forma que veo me tengo que imaginar como están funcionando el conjunto de músculos faciales que rodean las estructuras dentoalveolares durante la actividad en funciones vitales.

- La conformación de arcadas dentarias, deberíamos imaginarla como el resultado de "luchas" entre fuerzas centrípetas (de afuera hacia adentro) y centrifugas (de adentro hacia afuera); Si los músculos trabajan entre sí coordinadamente, obtendremos un sistema en "equilibrio", mientras si alguna fuerza sobrepasa a su contraria, aparecerá el "desequilibrio" o la "alteración" en la forma de la zona plástica donde actuaron dichas fuerzas.

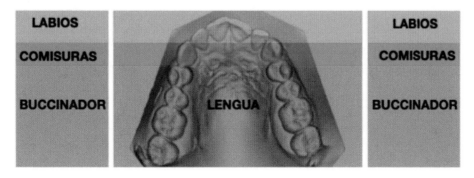

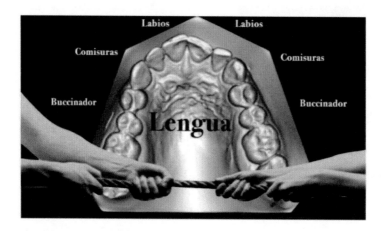

Pasemos a analizar cada músculo individualmente

La lengua.

La lengua ejercerá su acción modeladora tanto en reposo (actitud posicional) como en función. El conocimiento de este órgano formado por 17 músculos es de suma importancia, ya que se considera un gran modelador de las estructuras adyacentes. Si en reposo su posición es correcta y en funciones su comportamiento es equilibrado, la "forma" de los arcos y maxilares serán óptimos tanto en la etapa del desarrollo dentoalveolar como en la contención postratamiento.

A. ACTITUD POSICIONAL

Es la posición en reposo de la lengua dentro de la cavidad bucal. La posición normal y correcta será:

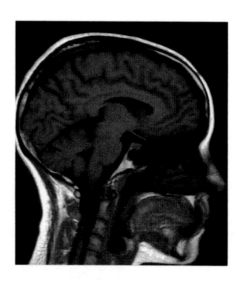

- Punta de lengua en rugas palatinas

- El sector dorsal que le sigue a la punta va apenas separado del paladar óseo, generado un espacio llamado "burbuja".

- El resto del dorso de la lengua va en contacto con paladar duro y velo del paladar.

- Lateralmente va en contacto con caras palatinas y linguales de molares.

B. LENGUA BAJA

- Es la alteración de la posición normal de reposo.

- Por distintas causas se encuentra en una posición descendida, provocando alteraciones a nivel dentoalveolar y esqueletal que luego veremos más adelante.

- Lo importante aquí es saber identificar cuando la lengua esta "baja" en el niño, adolescente o adulto, para corregir el hábito anterior o posteriormente al tratamiento ortodóncico y lograr estabilidad en el tiempo.

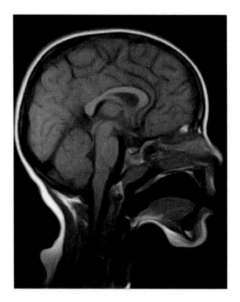

- La manera más sencilla y práctica de evaluar la posición en reposo de la legua es mediante la observación de la posición del hueso hioides en la teleradiografia lateral de cráneo: trazando a simple vista o mediante un dibujo sobre la tele rx el denominado "TRIANGULO HIOIDEO", el cual está conformado de la siguiente manera:

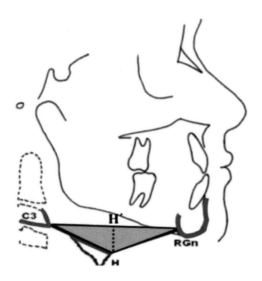

Puntos cefalométricos:

C3: parte más anteroinferior de la 3° vertebra cervical
RGn: punto más posteroinferior de la sínfisis
H: "hyodale" punto más anterosuperior del hioides
H": proyección perpendicular al plano C3 - RGn

- Uniendo estos 3 puntos nos queda conformado un triángulo a base superior y vértice inferior, donde la distancia de "H" debe estar hasta 5 mm de H".

- Cuando la lengua en reposo esta **BAJA**, la disposición del triángulo se modifica. El triángulo se convierte en una "línea" o un "triángulo invertido" por variación de la posición del hioides.

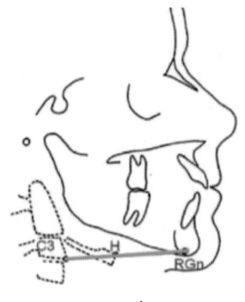

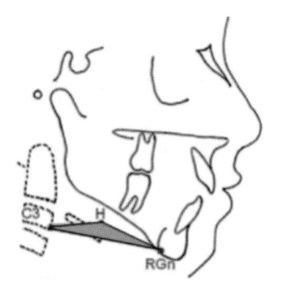

TRIÁNGULO LINEAL   TRIÁNGULO INVERTIDO

Algunas Expresiones y signos clínicos de una posible lengua baja:

ESTRECHEZ MAXILAR SUPERIOR

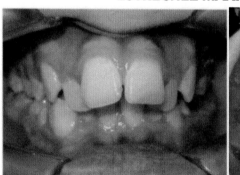

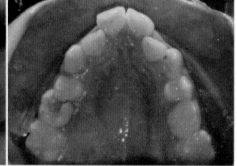

FRENILLO CORTO, LENGUA ATADA

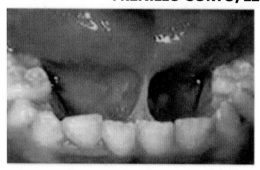

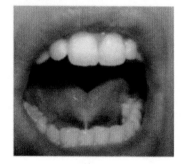

COLOCACION LENGUA CONTRA O ENTRE LOS DIENTES

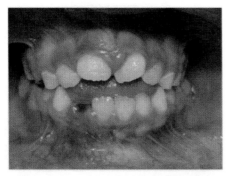
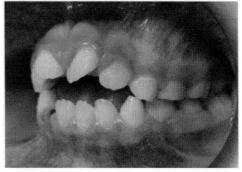

"HUELLA" O PROFUNDIDAD EN EL CENTRO DEL MAXILAR SUPERIOR

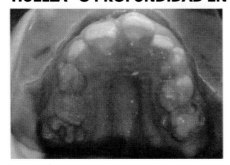
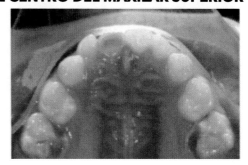

- Cuando identificamos una lengua baja en el paciente, tenemos distintas posibilidades terapéuticas de rehabilitarla, sea durante el tratamiento de ortopedia funcional en caso de ser niños, como en el adulto que este cursando un tratamiento de ortodoncia de baja fricción.

- En el caso de los aparatos de ortopedia funcional, la mayoría tienen un recordador o posicionador lingual llamado "Coffin", siendo un alambre rígido de 1.2 mm en "U" ubicado en el paladar al que el paciente deberá tocar con el dorso de su lengua, para fortalecer los músculos de la misma y enseñarle el lugar donde se debe colocar.

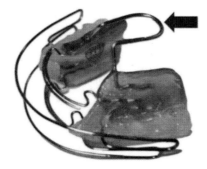

- Otro vehículo terapéutico muy efectivo en la terapia miofuncional para lograr el reposicionamiento de la lengua es el sistema de la marca comercial MYOBRACE (MCR) y EL SISTEMA TRAINER que constan de varios diseños según la necesidad del paciente y edad del mismo, teniendo como objetivo principal, la rehabilitación funcional.

- Dentro de este sistema estas los dispositivos específicos para el entrenamiento lingual, y otros dispositivos tendrán el accesorio específico para elevar y reposicionar la lengua, como también otros accesorios para el resto de los músculos orales.

Lingua de MYOBRACE

Se coloca solo en el maxilar superior y tiene una lengüeta que sirve como referencia para la posición lingual correcta que a su vez obliga al paciente a respirar por la nariz.
Se puede usar de día y de noche

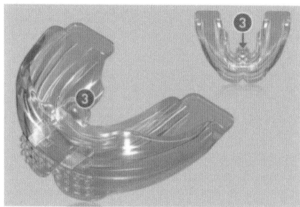

Existe una gran variedad dentro del sistema MYOBRACE segun la edad del paciente.
Todos tienen en común esta "lengüeta" que es una "reposionadora" de la legua por excelencia.

- Dentro de la línea MYOTAELA de MYOBRACE, podemos utilizar el TLP (Tongue and Lip Press) y el TLJ que no solo es útil para rehabilitar la lengua sino también los labios.

Aparato miofuncional activo dirigido a lengua y labios que necesiten mayor fortalecimiento y tono adicional para obtener resultados estables en la ortodoncia.
La falta de fuerza/tono muscular también puede ser un factor que contribuye a aumentar el riesgo de trastornos respiratorios durante el sueño.

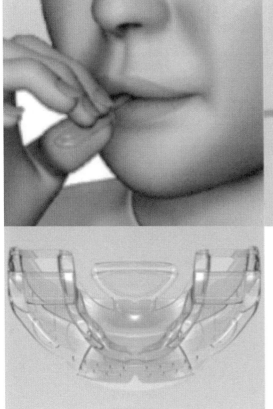

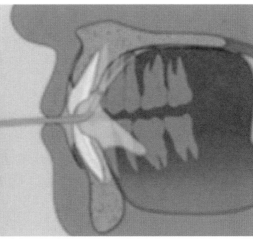

La lengüeta del dispositivo
proveerá fuerza o tono muscular a la lengua
y rehabilitará su posición

- En el caso del adolescente o adulto con ortodoncia de baja fricción, también tenemos "recordadores linguales", que serán de gran ayuda para que el paciente pueda rehabilitar la lengua y corregir su posición baja, mientras realiza el tratamiento de ortodoncia.

- Son aditamentos metálicos que se ubican en la cara lingual de los incisivos inferiores, lugar donde acostumbra a descansar la lengua cuando esta hipotónica y disfuncionda. Estos recordadores le generarán una incomodidad tal al paciente que deberá obligadamente subirla al lugar correspondiente.

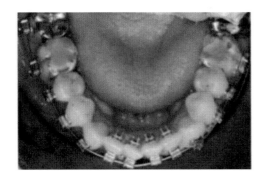

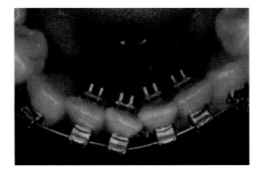

- Existen también una serie de ejercicios que recomendamos (ver apartado ejercicios miofuncionales) dentro de nuestra filosofía con el bracket del Dr. Pitts que podemos sugerir a nuestro paciente de ortodoncia para realizar durante el tratamiento, pudiendo colaborar en el entrenamiento lingual.

- Uno de ellos son los llamados ejercicios de "lifting lingual", que consiste en pedirle al paciente colocar un goma de mascar, esto como referencia de donde posicionar la punta de la lengua, y llevarla contra el paladar con fuerza a tal punto de "aplastarla" en zona de rugas palatinas.

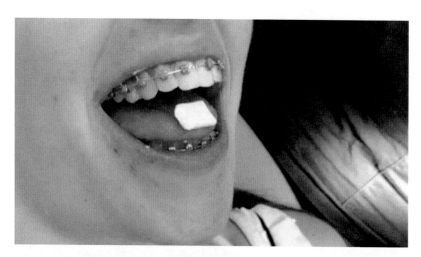

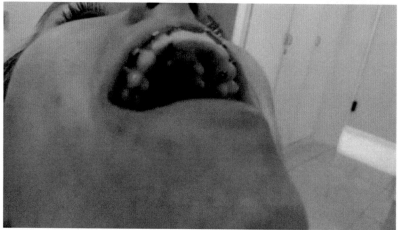

- En conclusión es muy importante evaluar desde un inicio tanto la posición como la función lingual del paciente, a cualquier edad, y si se detecta una anomalía, resolvería tan pronto sea posible eligiendo el medio terapéutico más apto para el mismo.

Los labios.

Los labios, representado principalmente en su constitución anatómica por el músculo orbicular de los labios, tienen como función proporcionar competencia a la cavidad bucal en la masticación, deglución y reposo.

- Los labios también participan en la fono-articulación, dan la posibilidad de cambios en la expresión facial que facilita el lenguaje no hablado y tienen una gran importancia estética en la parte afectiva. También dan información sensitiva de los alimentos que ingresarán en la boca. Para llevar a cabo las múltiples funciones, los labios requieren de un sistema muscular asociado de soporte.

- La musculatura perioral esta constituida por los siguientes fascículos:

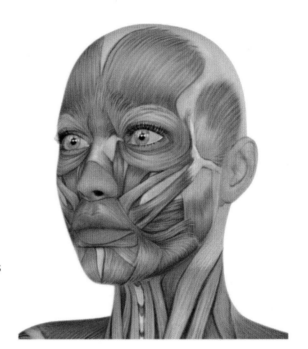

- Músculo Buccinador

- Músculo Canino

- Músculo Mentoniano/Borla

- Músculo Orbicular de los Labios

- Músculo Cuadrado del Mentón

- Músculo Triangular de los Labios

- Los labios cumplen su acción de "MODELADOR" en 2 situaciones:

FUNCIONES	Deglución	Respiración	Fonación
HÁBITOS	Succión Labial		

- En **FUNCIóN,** deben lograr un cierre bilabial sin esfuerzo, es decir, que el cierre se realice a expensas de la contracción simultánea de los músculos orbiculares, tanto superior como inferior. Cuando por falta de tono en alguno de ellos, el cierre bilabial no es posible, la naturaleza es sabia y "compensa" esta situación, ya que para poder deglutir se necesitará crear una presión negativa en la cavidad oral; Por lo tanto si los orbiculares no tiene el tono suficiente, la contracción la realizará otro músculo apareciendo las alteraciones del cierre bilabial, con las consecuencias correspondientes a la zona afectada.

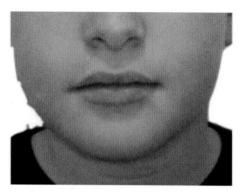 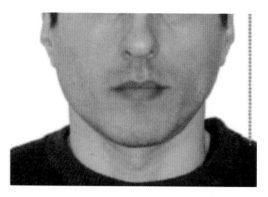

- En **HÁBITOS**, la interposición o la succión labial es una de las causas que generan mayor "deformación" en el sistema dentomaxilar del sector anterior. La colocación del labio inferior contra la cara palatina de incisivos superiores, y la succión del mismo, romperán la guía dentaria anterior, creando la llamada "trampa labial", que sostenida en el tiempo irá profundizando aún más la distancia entre incisivos superiores e inferiores.

- Las consecuencias inmediatas serán:

  - Proinclinación de incisivos superiores

  - Retroinclinación de incisivos inferiores

  - Aumento del overjet / overbite

- A nivel mucoso este hábito se detecta con facilidad por la irritación de la mucosa y piel perilabial.

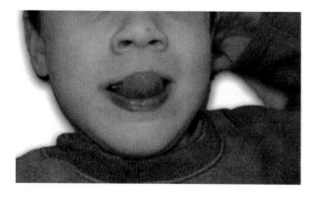 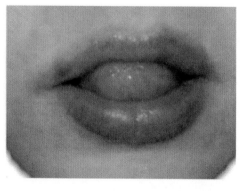

Alteraciones del Cierre Labial

▪ LABIO CON DIENTE

En esta alteración el sellado oral anterior es a expensas del labio inferior en contacto con la cara palatina de incisivos superiores. Se observa la llamada "trampa labial" siendo el espacio que deja el labio inferior al colocarse entre los incisivos. La proinclinación de incisivos superiores observada a la inspección clínica fue generada por la presencia del labio inferior tanto en reposo como en función.

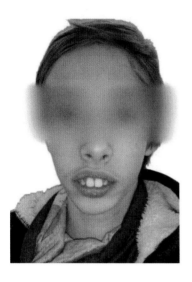
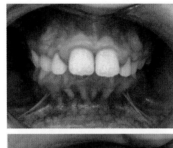
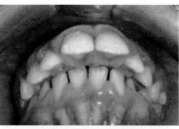
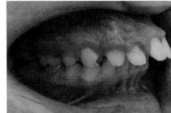
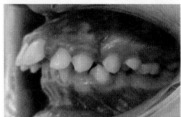

▪ ESFUERZO DE CIERRE

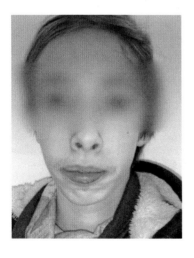

Por falta de tonicidad en el músculo orbicular de los labios, para lograr el cierre hermético anterior y poder iniciar la deglución, la alteración más común de observar es la hipercontracción del músculo mentoniano, visualizados clínicamente como un puntillado o "piel de naranja" en la zona del mentón. Si observamos esta situación tendremos que estar atentos a evaluar la presencia de la disfunción muscular y sus consecuencias.

- En el siguiente ejemplo observamos también el cierre bilabial alterado, donde se combinan, labio con diente y esfuerzo de cierre por hipercontracción del mentoniano para poder iniciar la deglución, quedando en evidencia la disfunción.

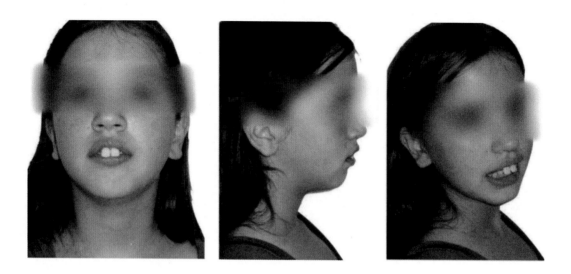

- Las consecuencias dentarias en esta disfunción serán evidentes al ir al examen clínico:

  - Proinclinación de incisivos superiores

  - Retroinclinación de incisivos inferiores

  - Estrechez del maxilar superior

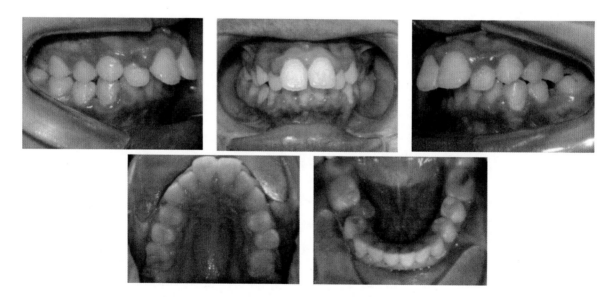

- Aquí es donde debo tomarme unos minutos y pensar antes de decidir el tratamiento o elección del vehículo terapéutico, "quien" fue el "responsable" de este desorden oral.

- La proinclinación dentaria deja en evidencia ser producto de la interposición del labio inferior entre los dientes y la profundidad en el maxilar superior por lengua baja.

- La resolución del caso es muy simple y seguramente no nos equivocaremos; Sólo tendremos que decidir cuál es el vehículo terapéutico indicado para retirar la musculatura mal posicionada y funcione correctamente, tanto con aparatología funcional como ortodóntica.

En el caso de un tratamiento ortodóntico finalizado, considero que parte de la decisión de otorgar el alta definitiva a nuestro paciente, será corroborar que esté normalizado y equilibrado muscular y funcionalmente.
Con respecto a los labios, comprobemos que el cierre bilabial tanto en reposo como en función sea "sin esfuerzo", con el tono de los labios propiamente dicho sin involucrar el resto de los músculos de la zona perioral. Así tendremos un **sistema en equilibrio.**

Entrenadores labiales y linguales.

Dentro de las terapias miofuncionales, contamos con dispositivos   específicos para rehabilitar las funciones musculares. Algunos podrán ser fabricados con elementos propios según la habilidad y creatividad del profesional; y otros podremos adquirirlos directamente de alguna marca comercial en particular; Por ejemplo, el sistema "MYOBRACE", tiene una línea llamada MYOTAELA que incluye:

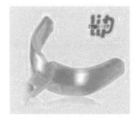   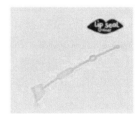

1. LIP TRAINER: está diseñado para ser usado con otros aparatos para mejorar el sellado labial, aumentando el tonismo en los orbiculares y disminuyendo la hiperactividad del mentoniano (quien se activa en la deglución atípica). Se usa 2 veces al día durante 5 minutos y toda la noche para dormir.

Bumper labiales: desactiva la fuerte musculatura del área del mentón

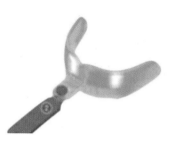

Banda de seguridad: ejercita los músculos labiales

2. TLP: "tongue and lips press" está diseñado para entrenar los músculos de labios y lengua que requieran mayor fuerza y tonicidad para obtener estabilidad ortodóntica en nuestros tratamientos. Lo podemos indicar mientras el paciente cursa su ortodoncia ya que al ser externo este dispositivo no impide el correcto desarrollo de la arcada. El sistema trae una serie de ejercicios para realizar.

Indicado para respiradores bucales y patrones de deglución atípica donde existe lenguas bajas y falta de sellado labial

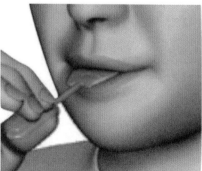

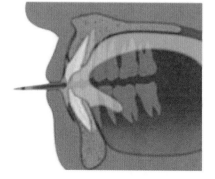

3. TLJ: "tongue, lips and Jaw": está indicado para pacientes que presenten músculos sin fuerza o tonicidad en labios, lengua y problemas en la articulación mandibular. Cada parte de este aparato está diseñado para entrenar estos músculos mediante ejercicios que deberá realizar el paciente.

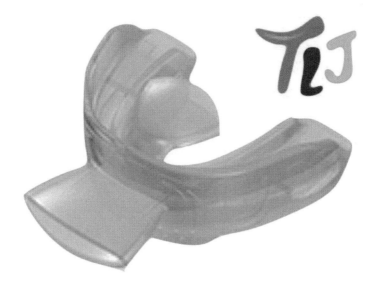

4. LIP SEAL: trabaja en la tonicidad y sellado labial. Está indicado en pacientes respiradores bucales con falta de fuerza y postura incorrecta de labios en descanso.

Apartado:

En el final de este capítulo se describirán una serie de ejercicios para indicar al paciente que podrán ser realizados tanto con dispositivos comerciales como también utilizando la creatividad del profesional con elementos que cumplan el mismo objetivo: rehabilitar la función labial.

La respiración.

- La respiración normal y fisiológica deber ser NASAL. La nariz está diseñada por la naturaleza con el fin de filtrar gérmenes y partículas del aire que ingresan del medio externo.

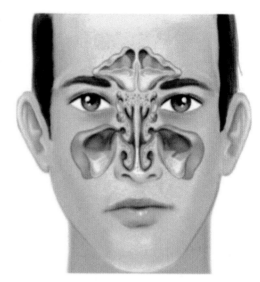

- Luego los cornetes tendrán la función de frenar ese flujo de aire que ingresa, para favorecer la mezcla del oxígeno con el óxido nítrico. Este gas es producido por los senos paranasales cuando se respira por la nariz, y tiene propiedades vaso dilatadoras muy importantes que favorecerán la absorción del oxígeno a nivel pulmonar.

- Los senos paranasales también tienen por función calentar y entibiar el aire frío que ingresa del medio externo para llegar a los pulmones con la temperatura y humedad más aproximada al medio interno (37° y 44mg/l).

- Durante la respiración nasal es necesario que la boca este cerrada en algún punto. Normalmente esto se da por el sellado labial. Pero éste cierre también puede ocurrir en la porción media de la lengua en contacto con el paladar duro y también posteriormente con la base de la lengua contra el paladar blando.

NUESTRO SISTEMA DE DEFENSA: ANILLO DE WALDEYER

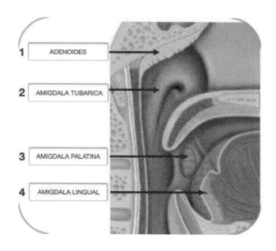

- Fisiológicamente el tejido linfático es parte de nuestro sistema inmunológico, sistema que reconocerá entre lo que es propio del organismo, de lo que no lo es ; lo identifica e intenta eliminarlo. El Anillo de Waldeyer, es uno de los tejidos linfáticos formado por 4 estructuras situadas alrededor de la naso y orofaringe, punto de entrada al tracto digestivo - aéreo superior.

- Este anillo representa entre el 3% y 5% del tejido linfoide y tiene gran importancia en el proceso respiratorio, ya que la hipertrofia de 2 o más de sus estructuras pueden alterar enormemente la función respiratoria nasal.

1. AMIGDALA PALATINA

- Son las comúnmente llamadas "amígdalas" y están situadas en la bucofaringe entre el músculo palatogloso y palatofaríngeo e íntima relación con el paladar blando, lengua y cavidad bucal. Son una importante barrera de defensa, generando IgA y IgE que son factores de defensa contra agentes microbianos bacterianos o virales.

- Son activas entre los 4 y 10 años y luego involucionan. La hipertrofia o crecimiento excesivo por funcionamiento permanente pueden llegar a generar distintos grados de obstrucción bucofaringeo.

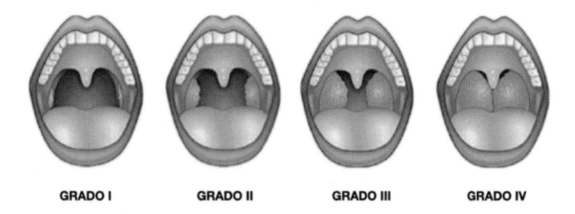

GRADO I   GRADO II   GRADO III   GRADO IV

- Imagen clínica de amígdalas hipertrofiadas. Esto lo podemos diagnosticar clínicamente a simple vista cuando el paciente abre la boca.

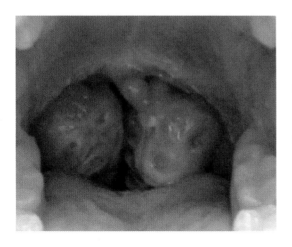

- Crecen cuando la nariz NO funciona.

- Hipertrofiadas no tienen función de defensa.

- Problemas de respiración, deglución y apneas.

2. ADENOIDES

- Son un acúmulo de tejido linfoide ubicado en la parte posterosuperior de la faringe, entre nariz y garganta.

- Éstas a diferencia de las amígdalas no se ven clínicamente. Su inspección podemos hacerla como odontólogos a través de la telerradiografía lateral de cráneo.

- La función de los adenoides es filtrar gérmenes y partículas que ingresan por nariz produciendo anticuerpos frente a infecciones. Si éstas se dan a repetición los adenoides crecen o se hipertrofian provocando problemas respiratorios por la imposibilidad del pasaje del aire, tema que deberá ser resuelto en cuanto sea diagnosticado, ya que el paciente por supervivencia natural, sino puede respirar por la nariz lo hará por la boca con las consecuencias que veremos más adelante.

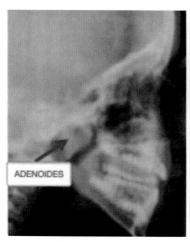 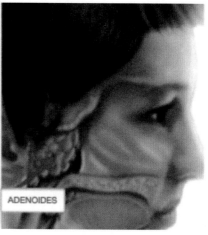

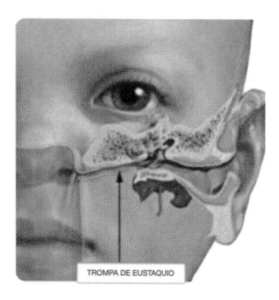

Adenoides e infección de oídos
Los adenoides a su vez, por la cercanía con la Trompa de Eustaquio (comunicación faringe con oído medio), provocará infecciones de oídos u otitis a repetición por presencia bacteriana permanente que a través de la Trompa de Eustaquio llegarán al oído medio.

3. AMIGDALAS LINGUALES

Se localizan en la base de la lengua. Son un agregado linfático no encapsulado de variables tamaños.

4. AMIGDALAS O NóDULOS TUBARICOS

Se sitúan en la fosa tubárica, en pared lateral de faringe y unen la nasofaringe al oído medio.
De las 4 estructuras linfoideas, las **amígdalas palatinas** y los adenoides son las más conocidas y las que comúnmente complican el proceso respiratorio.
El grado de hipertrofia y la decisión final de extirpación quedará sujeta a la decisión del otorrinolaringólogo, pero nosotros como profesionales de la salud oral, no debemos dejar de identificarlas como posible causa de alteraciones respiratorias, con sus consecuencias dentomaxilares.

Respiración bucal.

El conocimiento de las desventajas de la respiración fisiológica alterada es de data histórica; existen evidencias y estudios científicos que avalan y describen las complicaciones que produce la respiración bucal.

| 1855 - 1930 | 1920 - 2003 | 1927 - 2014 | 1936 - 2018 |

Dr. Edward Angle   Dr. Robert Ricketts   Dr. Donald Enlow   Dr. William Proffit

"La piedra angular del crecimiento facial es la respiración nasal". La cara crece alrededor de las vías aéreas: si estas funcionan correctamente, la cara se desarrolla hacia adelante y con marcada definición. Por el contrario, si las vías aéreas no funcionan correctamente, faltará desarrollo facial y maxilares hipoplásico.
Dr. Donald Enlow

"La armonía en la posición de los dientes, el tamaño y la relación de los arcos se ve inflluenciada por otra fuerza, la presión muscular; de todas las causas de maloclusoón, la respiración bucal es la de mayor frecuencia en todas las edades."
Dr. Edward Angle

"La función respiratoria ha sido el factor más ignorado en la ortodoncia clúnica. En los años 30 y 40, dominó el concepto "fenético" en la alteración esquelética, llevando a tratar solo los dientes en lugar de la cara o el paciente en su totalidad. La información sobre las "fallas" de aquel entonces, ponen en evidencia los problemas respiratorios como influyentes."
Dr. Robert Ricketts

"El factor en el equilibro dental son las presiones que ejerce la lengua y los labios en reposo. La respiración influye en la postura de la cabeza, la mandíbula y la lengua, por lo tanto si la respiración está alterada, se rompe el equilibrio."
Dr. William Proffit

- La respiración es la FUNCION VITAL MAS IMPORTANTE, no solamente porque nos permite la supervivencia sino también porque de ella dependerá que el resto de las funciones se desarrollen con normalidad. **Es la piedra fundamental**. Si la respiración esta alterada, es decir, que es oral en vez de nasal, no existe ninguna posibilidad de que la deglución, la masticación y la fonación se desarrollen con normalidad.

- Cuando existen dificultades para llevar a cabo la respiración nasal, se produce una sustitución por la respiración bucal. Hay pacientes que respiran por la boca sin ninguna causa aparente más que por un mal HABITO. Pero en general, las causas más frecuentes de respiración bucal son las OBSTRUCCIONES o FLACIDEZ de la musculatura perioral.

Las obstrucciones pueden ser:

- Hipertrofia de adenoides
- Desviación de tabique
- Cuerpo extraño
- Hiperplasia de la mucosa
- Tumores
- Pólipos

- Las hiperplasias de mucosa se pueden dar por: rinitis alérgica, sinusitis, irritación por olores o polución.

- Las hipertrofias faríngeas se dan por hiperplasia de amígdalas palatinas.

- La hipo tonicidad de algunos músculos de la cara también pueden generar la apertura bucal constante y que respire por este medio.

CARACTERÍSTICAS FACIALES

- Narinas colapsadas e inmóviles

- Pómulos aplanados

- Labios secos y descamados

- Ojeras

- Facie cansado

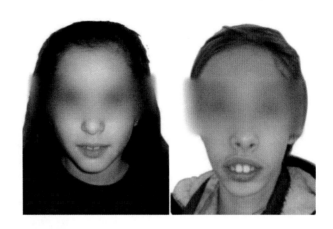

CARACTERÍSTICAS DENTARIAS

- Arco superior estrecho

- Lengua baja

- Base maxilar superior pequeña y retruída

- Aumento incidencia de caries

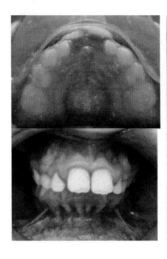
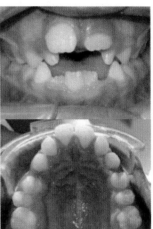

CARACTERÍSTICAS POSTURALES

Cuando el paciente necesita abrir su boca para incorporar el aire, necesita cambiar la posición de su cabeza, hombros y columna para no perder el equilibrio y caerse para adelante. Por eso se da una serie de "acomodamientos" del cuerpo para mantenerse erguido y en equilibrio.

- Cabeza adelantada

- Columna cervical en hiperextensión

- Hombros adelantados

- Columna dorsal xifosis

- Pancita "burguesa"

- Columna lumbar, lordosis

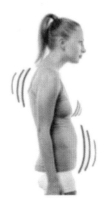

NUEVA POSICIÓN LINGUAL

- Lengua en posición más anterior

- Labios entreabiertos

- Mandíbula que "cuelga" por relajación de elevadores

- Disminución actividad dilatadores narinas

- Mal descanso, no profundiza el sueño

TRASTORNOS RESPIRATORIOS DEL RESPIRADOR BUCAL

- Apneas de sueño

- Amigdalitis

- Hipertrofia Adenoides

AMIGDALITIS

- Crecen cuando la nariz NO funciona

- Hipertrofiadas no tienen función de defensa

- Problemas de deglución, respiración y apneas

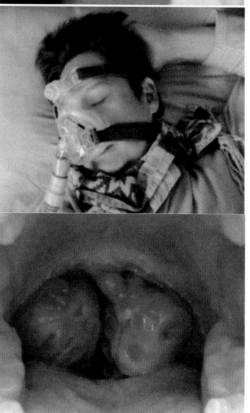

Por eso es fundamental que busquemos la CAUSA que este generando la respiración oral y no quedarnos solo con la valoración del síntoma. La naturaleza es sabia: si el aire no entra por la nariz, entrará por la boca para poder sobrevivir. Esta modificación de la posición de la boca hace que todo el sistema adopte otra postura, y en estos intentos de "compensar" es cuando el sistema comienza a fallar.

RESPIRACION BUCAL Y EL SUEÑO

La nueva posición lingual en el respirador bucal y las alteraciones del sueño es algo que no podemos perder de vista. EL SUEÑO es una situación biológica que debemos cuidar ya que es el momento donde todo el sistema fisiológicamente tiene la capacidad de regeneración y reparación. Si el niño o adulto "duermen mal" durante el día se verán las consecuencias. Y el dormir "bien" tiene que ver principalmente con tener una respiración fisiológica "nasal" donde el oxígeno que llega a los pulmones ingrese depurado, humedificado y atemperado. Si el paciente duerme con la boca abierta, y está en etapas de crecimiento se verá afectada la secreción de la hormona más importante en el desarrollo, la Somatotrofina o GH, ésta hormona se libera luego de 2 o 3 horas profundas de sueño, cuando el niño está en etapa 4 o NO REM del sueño. A esta etapa de profundidad se llega si el paciente puede conciliar el sueño con una respiraciónn normal. Si respira por boca, hay microdespertares y no logra llegar a la etapa 4.

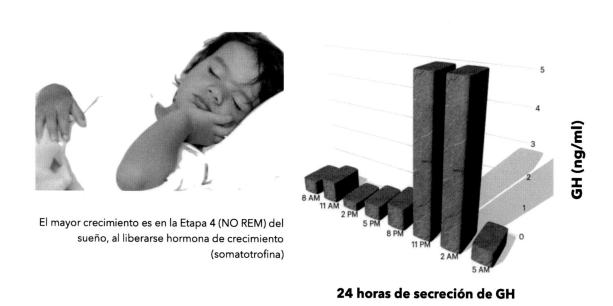

El mayor crecimiento es en la Etapa 4 (NO REM) del sueño, al liberarse hormona de crecimiento (somatotrofina)

24 horas de secreción de GH

Otra consecuencia de dormir con la boca abierta es la falta de estímulo de desarrollo transversal del maxilar superior por ausencia de la lengua en el techo de la boca.
transversal

- Un adulto que respira la boca de noche también tendrá sus consecuencias: alteraciones del sueño (microdespertares, roncopatias, hipoapneas o apneas del sueño) que luego le traerán problemas en su día cotidiano, ya que será una persona mal descansada y oxigenada. Puede sufrir somnolencias, cansancio general y falta de concentración en sus tareas. A nivel dentario tendrá las mismas consecuencias que en el niño.

EVALUACIÓN DEL RESPIRADOR BUCAL

La evaluación será en su totalidad; cuando tenemos enfrente a un posible respirador bucal no debemos olvidar que esta disfunción afecta a varias estructuras anatómicas directa y otras indirectamente por la alteración a modo de "cascada" de otras funciones en la que estará involucrado el organismo general; así nos encontraremos un desequilibrio postural como también una disfunción en la masticación, deglución e incluso fonación.

En una primera visita, deberemos crear un ambiente cálido, lo menos artificial posible para que el paciente se sienta cómodo y seguro. La primera herramienta de diagnóstico será la ANAMNESIS Y simultáneamente la observación de la POSTURA CORPORAL espontánea. Observaremos como es la posición de la cabeza y postura del cuerpo con respecto a sus hombros, de frente y de perfil, de pie y sentado, mientras vamos dialogando con el mismo, sin que se sienta observado para no condicionar la postura que adopta y sea la más natural posible.

ANAMNESIS

Le haremos una serie de preguntas al paciente o a sus padres muy simples sobre momentos diarios.

Mientras tu hijo está sentado (viendo TV)

- ¿Se mete cosas a la boca (juguete, mangas, lápices, uñas, etc.?

- ¿Se chupa los labios?

- ¿Tiene la boca abierta, aunque sea solo un poco?

- ¿Tiene la lengua entre los dientes?

- ¿Hace ruido al respirar?

- ¿Tiene dificultad para estar quieto?

Mientras tu hijo habla

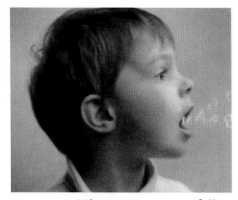

- ¿Habla demasiado rápido?
- ¿Habla demasiado lento?
- ¿Se detiene para respirar?
- ¿Sesea?

Mientras come tu hijo

- ¿Se detiene para respirar entre bocados?
- ¿Saca la lengua cuando traga o bebe?
- ¿Hace ruido al masticar?
- ¿Come descuidadamente?
- ¿Toma aire cuando bebe?
- ¿Aprieta los labios al tragar?
- ¿Arruga la barbilla cuando traga?
- ¿Inclina la cabeza cuando traga?
- ¿Tiene dificultad estando quieto?

Mientras duerme tu hijo

- ¿Tiene la boca abierta?
- ¿Ronca?
- ¿Moja la cama?
- ¿Da vueltas?
- ¿Se despierta frecuentemente?
- ¿Tiene pesadillas?
- ¿Rechina los dientes?
- ¿Le cuesta trabajo despertar?
- ¿Tiene ojeras?
- ¿Amanece babeado o con saliva seca en el rostro?

Mientras vamos realizando el cuestionario debemos estar atentos algunos "signos" que también nos pueden mostrar que hay problemas respiratorios.

- ojeras /cara cansado y triste
- Mirada perdida y sin brillo
- salivación excesiva
- Halitosis
- Cansancio al hablar
- incoordinación para respirar y hablar simultáneamente.

EVALUACION FUNCION RESPIRATORIA

Existen varias pruebas sencillas para realizar en nuestra consulta tanto en niños como en adultos; Aquí haremos mención a una de las más simples: la prueba de ROSENTHAL, que sirve para diferenciar si la respiración bucal es orgánica o por alguna alteración anatómica. Antes de realizarla es necesario constatar que el paciente no esté cursando ningún proceso inflamatorio agudo (resfrío, alergia etc.) Consta de 3 pasos:

1 Se le indica que permanezca con la boca cerrada hasta que le avisemos. Contamos 20 respiraciones completas mientras observamos los movimientos torácicos que realiza. Esto debe ser inadvertido por el paciente para que no modifique el ritmo.

2 Insistimos que continúe con la boca cerrada y el solicitamos que ocluya la narina derecha con la yema del pulgar derecho. Volvemos a observar el movimiento torácico en 20 respiraciones.

3 Le pedimos que siga con la boca cerrada y ahora será el turno de ocluir la narina izquierda con el pulgar izquierdo y volvemos a contar las 20 respiraciones observando los movimientos respiratorios. Aquíí termina la prueba

Conclusiones de la prueba:

- Si el paciente logró las 60 respiraciones, primero con ambas narinas y luego de a una, y no aumento su ritmo respiratorio ni abrió la boca para ingresar el aire, estamos en presencia de un paciente con buen pasaje de aire.

- Si existe una obstrucción anatómica, aumentará su ritmo respiratorio hasta abrir la boca por más que quisiera cumplir con la consigna dada.

En este caso nuestra responsabilidad será derivar al paciente a consulta de O.R.L para ser diagnosticado y tratado a tiempo.

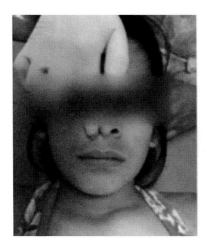 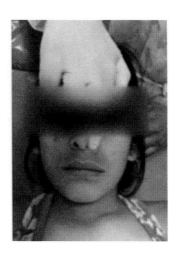

Caso Clínico

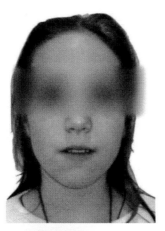

En el análisis facial de frente observamos: ojeras, malares aplanados, narinas colapsadas hipotónicas, labios entreabiertos sin contacto, resecos y facie general de cansancio.

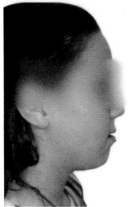

En el análisis facial de perfil observamos las mismas características descriptas, agregando el hipodesarrollo del maxilar superior y el signo patognomónico de lengua baja, que es la "papada" de perfil.

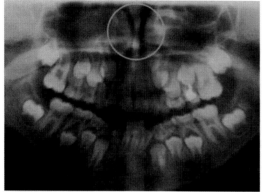

En la rx panorámica se observa una zona radiopaca a nivel de fosas nasales, sugiriendo esto la presencia de alguna hipertrofia de mucosa de cornetes o alergia.

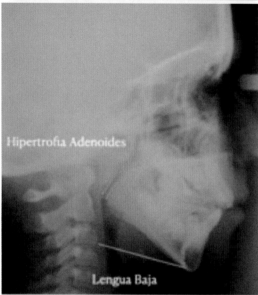

En la teleradiografía lateral de cráneo a simple vista observamos la disminución o estrechez de la luz de vías aéreas superiores (adenoides hipertrofiadas), y la posición baja de lengua; Esto último es conclusión resultante del trazado del triángulo hiodeo con un resultado lineal (y no un triángulo a vértice inferior)

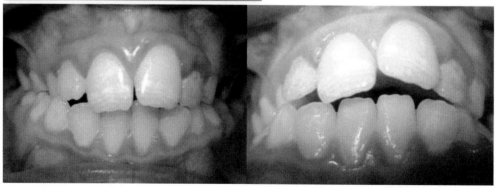

A nivel bucal nos encontraremos con las consecuencias de la disfunción:

- Estrechez maxilar superior en forma de "V" o paladar ojival
- Proinclinación dentaria
- Apiñamiento dentario
- Falta de guía dentaria anterior

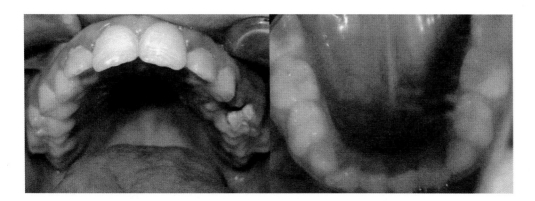

Se diagnostica paciente con respiración bucal por hipertrofia de adenoides y cornetes con cuadros de alergias asociados, siendo derivada a O.R.L para su atención. Simultáneamente se comienza con su tratamiento de ortopedia funcional para ir conformando los arcos a expensas de la rehabilitación de la posición de la lengua tanto en reposo como en función.

Se coloca un AAEKL (activador abierto elástico de Klammt)

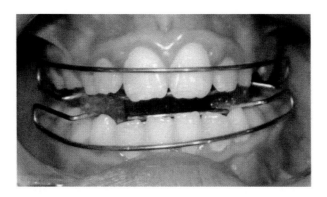

ACTIVADOR ABIERTO ELASTICO DE KLAMMT

- Es un aparato bimaxilar, rígido generador de fuerzas isométricas. Es un regulador de funciones, es decir, colocado el aparato en boca, los músculos adoptan su posición correcta y pueden reorganizarse para realizar sus funciones correctamente. En conclusión, será el propio sistema muscular reorganizado y rehabilitado el que devuelva la armonía a los arcos dentarios, maxilares, posiciones dentarias y finalmente la cara en etapas de crecimiento.

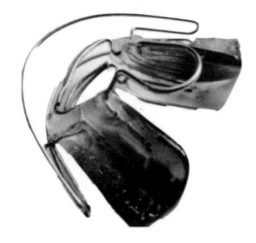

ELEMENTOS CONSTITUTIVOS:

- **Arco vestibular:** colocado en el tercio vestibular de los dientes tendrá como función en el sector anterior el control de la posición de incisivos y en el sector posterior trabaja como "barrera" para evitar la compresión de los buccinadores sobre los rebordes dentoalveolares.

- **Arcos palatinos y linguales:** van colocados por dentro, en cara palatinas y linguales de incisivos superiores e inferiores y tienen por función junto al arco vestibular controlar la posición en sentido anteroposterior de incisivos. (se colocaron en contacto o no según lo necesitado).

- **Coffin o arco transpalatino:** es un recordador por excelencia de la posición normal de lengua tanto en reposo como en función.

- **Acrílico:** es el elemento de unión de todos los alambres descriptos y tiene como función determinar la posición de trabajo del aparato para generar las fuerzas isométricas necesarias para la rehabilitación.

Etapa intermedia de tratamiento

La posición adelantada que se observa es producto de la mordida de trabajo del AAEK que se trabaja en los 3 sentidos del espacio con el objetivo de desarrollar una fuerza isométrica muscular; Ésta debe ser **adelantada**, **descendida** y **centrada**.

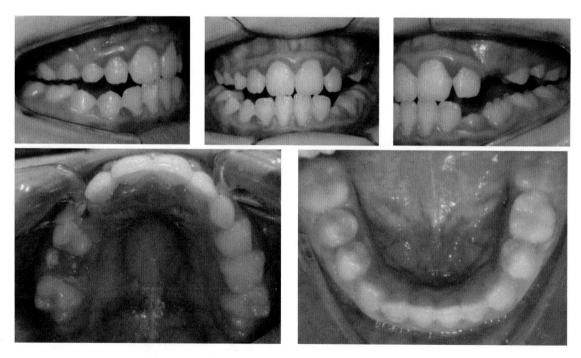

- El paciente utiliza el aparato 16 hs. diarias y toda la noche para dormir. Con este vehículo terapéutico iremos acompañando el recambio dentario y desarrollo de los arcos, eliminando aquellas fuerzas musculares que "inhiban" el crecimiento en caso de tratarse de un paciente de dentición temporaria o mixta.

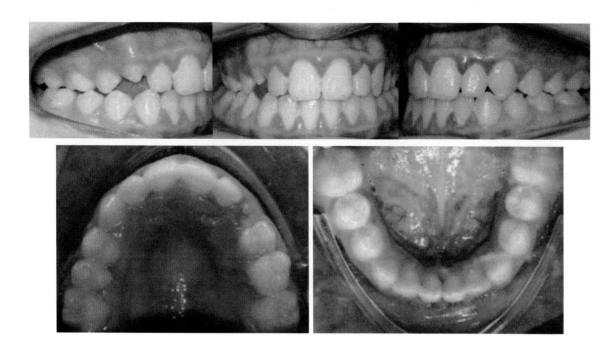

- Aquí vemos como los arcos dentarios van tomando una forma más amplia y redondeada, debido a la modificación de la posición de la lengua; El paciente va logrando corregir la respiración después de la extirpación de adenoides y rehabilitación funcional junto al Fonoudiólogo quien colaboró en el tratamiento. La propia lengua en su posición correcta y alejando la acción compresiva del buccinador sobre los rebordes alveolares posteriores, contribuirá a la rehabilitación del sistema.

ANTES Y DESPUÉS

La contención en este tratamiento al ser un paciente en crecimiento será su propia musculatura funcionando correctamente. **No** hacen falta retenedores mecánicos si finalizó su tratamiento ortopédico estando rehabilitado funcionalmente.

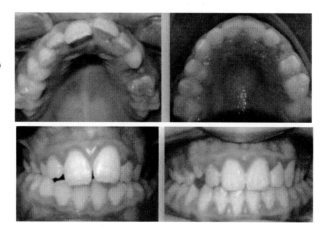

- Caso clínico de paciente adolescente tratada con Pitts 21. Se realiza corrección de la clase II con una propuesta de avance mandibular (Twin Block) y uso de elásticos intermaxilares; Al finalizar el tratamiento se logró el mejoramiento del perfil por la proyección del mentón.

- En la elección de la contención se decidió colocar un aparato bimaxilar (AAEK)

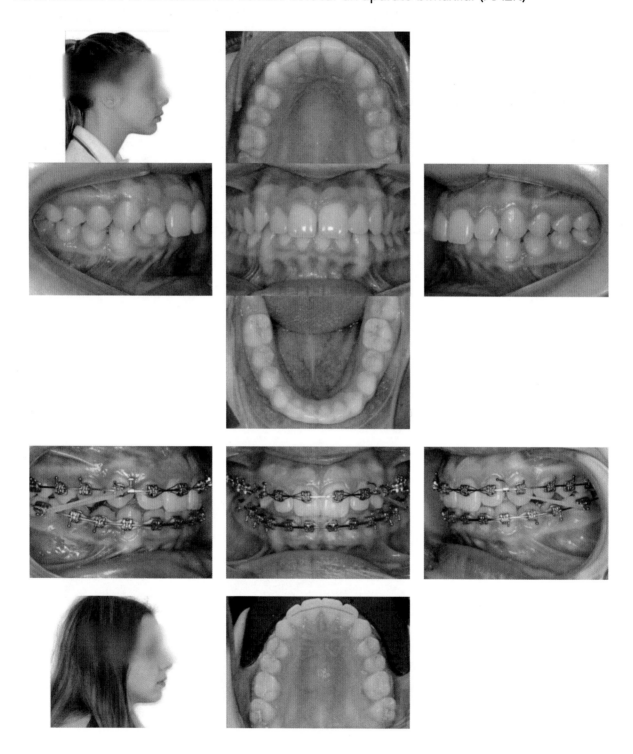

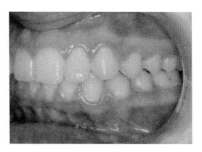

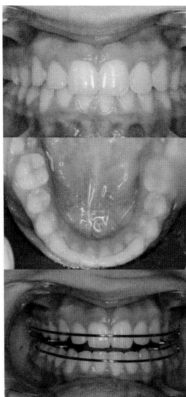

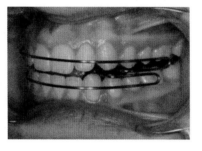

- Esta aparatología como contención deberá ser usado por las noches, y controlado por el profesional en el tiempo para calibrar y dejar colocado correctamente los arcos vestibulares, palatinos y el acrílico, evitando que éstos generen efectos contraproducentes por la deformación posible que puede sufrir la aparatología dentro de la boca por el mismo uso cotidiano.

LA DEGLUCIóN

Desde el nacimiento hasta la adultez

La deglución es la función que se desarrolla después de la succión o masticación. En ella intervienen músculos faciales, periorales, masticatorios, supra e infrahiodeos.
Hay 2 tipos de deglución:

- Deglución infantil o primaria
- Deglución madura o secundaria.

DEGLUCIóN PRIMARIA O INFANTIL

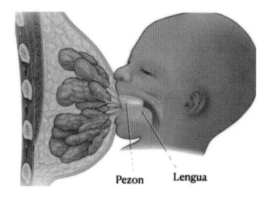

Pezon   Lengua

El bebé usa la lengua como reflejo para extraer la leche materna. La lengua avanza entre los labios con fuerza para succionar. La lengua expandida en la succión estimula tanto el desarrollo del maxilar, como la respiración nasal, ya que estará imposibilitado de respirar por la boca al tenerla ocupada.

Luego de los 6 meses vendrá la etapa del DESTETE, donde lo ideal será:

- Comida de "verdad" no procesada ni papillas

- Dejarlos explorar y elegir

- No usar cucharitas

Cuando llega la etapa de la deglución de semisólidos y sólidos, coincidentes con la aparición de las piezas dentarias temporarias, deberá existir una maduración del SNC de tal manera que el patrón de la deglución primaria o infantil pase al patrón de la deglución secundaria o madura.

DEGLUCIóN SECUNDARIA O MADURA

A medida que aparecen los dientes el patrón de deglución deberá evolucionar a la forma "MADURA" de tragar: la lengua empuja hacia arriba contra el paladar, en vez de ir para adelante entre los labios, que a esta altura sería entre los dientes.

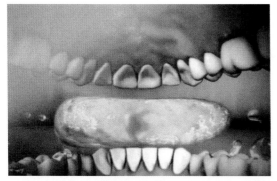

Si persiste la deglución primaria estando ya los dientes en boca, entonces se romperá el equilibrio y se dará origen a ciertas maloclusiones.

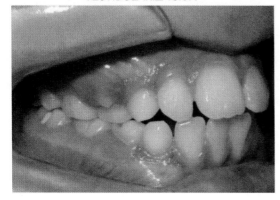

VESTIBULARIZACIóN

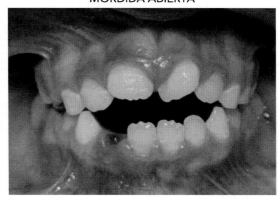

MORDIDA ABIERTA

Caso Clínico

Paciente de 8 años con deglución atípica, interposición lingual entre los arcos dentarios que originó una mordida abierta anterior.

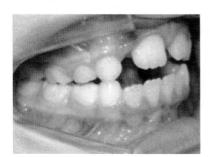
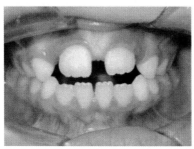
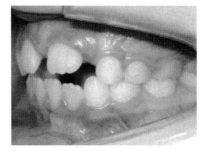

Uno de los vehículos terapéuticos utilizados para la rehabilitación funcional de la lengua en la deglución atípica es el **BIONATOR DE BALTERS**, aparato rígido, bimaxilar, que tendrá como finalidad reubicar la lengua, para que los incisivos logren egresionar y establecer la guía dentaria anterior. Es un rehabilitador funcional por excelencia, tanto en niños en edad de crecimiento como en adultos en su contención postordoncica, luego de haber logrado cerrar la mordida mediante una filosofía de autoligado pasivo de baja fricción (Pitts21)

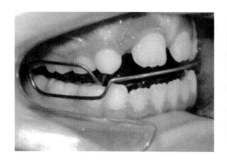 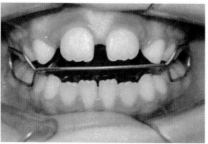 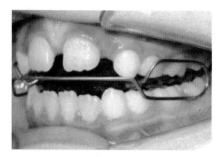

Después de 18 meses el tratamiento queda finalizado.

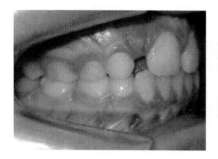 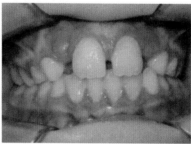 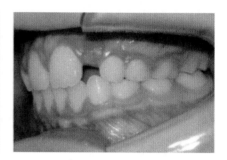

Fotos Pre y Post Tratamiento

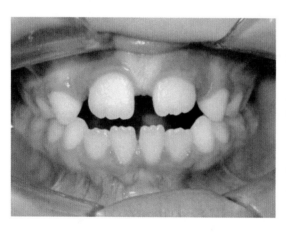 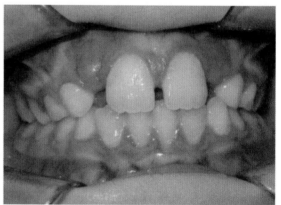

BIONATOR DE BALTERS

Este aparato está compuesto por:

. Arco vestibular.
. Arco palatino o coffin.
. Acrílico.

Cada parte tiene una función específica que servirá como rehabilitador de cada músculo facial o masticatorio que este alterado en su función.

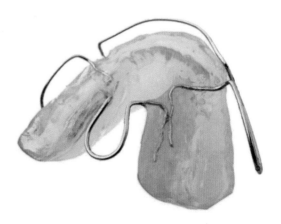

- **Arco vestibular**:

  - En el sector anterior será un rehabilitador del cierre bilabial, su función es que el paciente logre desarrollar la tonicidad necesaria, intentando cerrar con el labio superior e inferior a la vez tocando este arco.

  - En el sector posterior tendrá por función ser "barrera" para el Buccinador, que en estos casos está en hipercontracción generando estrechez por compresión del maxilar, al no haber un equilibrio de fuerzas entre las externas de este músculo y las internas representadas por la lengua.

- **Arco palatino o coffin**: es un rehabilitador de la función lingual, siendo un recordatorio para elevar la lengua al paladar al lugar correcto.

- **Acrílico:** en el sector anterior bloquea la introducción de la lengua entre los dientes para evitar así la persistencia de la mordida abierta y los incisivos puedan egresionar hasta ponerse en contacto entre sí (guía dentaria anterior).

Caso Clínico

Paciente adulto con mordida abierta, tratado con brackets autoligables de baja fricción H4 (no estaban en el mercado los brackets Pitts21 aún), biomecánicas simultáneas, ILSE, ejercicios de "Squeezing" para tonificar los músculos masticadores y realizar control vertical posterior, y uso de "recordadores linguales" para rehabilitar la posición de la lengua tanto en reposo como en función.

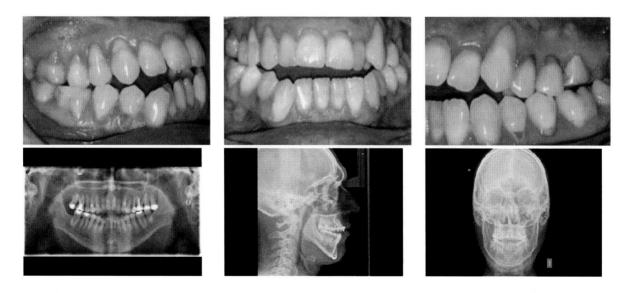

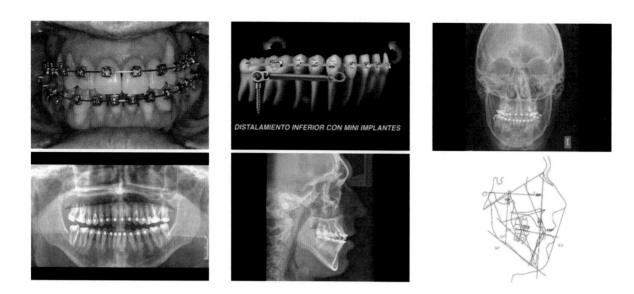

Se da el alta al paciente al cumplir todos los objetivos del tratamiento ortodóncico y se sugiere el uso de un aparato funcional como contención para "recordar" a la musculatura perioral la posición correcta y el buen funcionamiento, evitando recidivas. Se colocó un Bionator de Balters, utilizándolo todas las noches para dormir y algunas horas en el día.

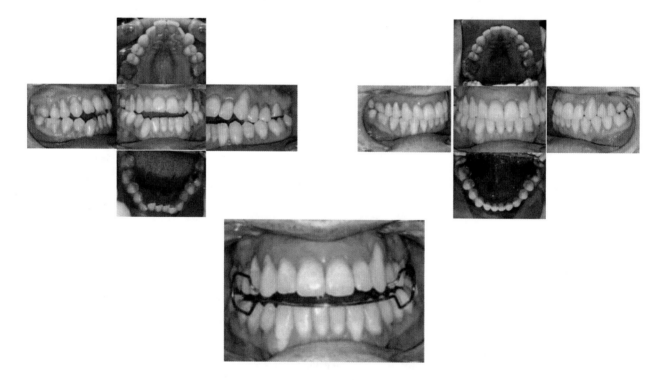

- El arco vestibular en el sector anterior funcionará como un "LIP SEAL" entrenando los labios para conseguir el cierre sin esfuerzo.

- El arco vestibular en el sector posterior separará a los buccinadores de la zona plástica de los rebordes dentoalveolares

- El acrílico evitará la interposición de la lengua entre los dientes anteriores "recordando" que ese no es su lugar, sino arriba donde está el "Coffin".

Caso Clínico

En este otro caso, adulto con deglución atípica, fue tratado con brackets autoligantes de baja fricción de slot rectangular. Durante su tratamiento mecánico se fue insistiendo en resolver la parte funcional, ya que era clave retirar la lengua que se interponía entre los arcos dentarios y generaba la maloclusión.

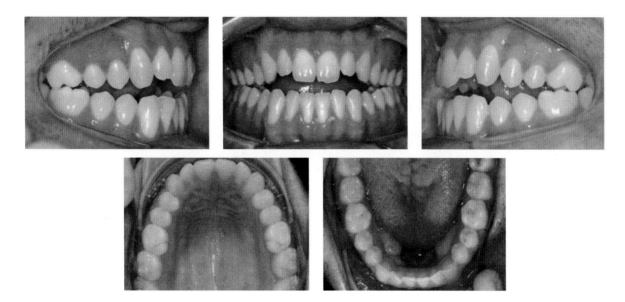

Después de 10 meses de tratamiento, gracias a las ventajas de la baja fricción de la ortodoncia con autoligantes pasivos, sumando a las biomecánicas simultáneas con arcos amplios, desoclusiones y ejercicios de "lifting lingual" junto a recordadores linguales, y el uso de ILSE (elásticos cortos livianos inmediatos) se logra el objetivo oclusal: devolver la guía anterior perdida, overjet y overbite correcto y rehabilitar funcionalmente al paciente, eliminando uno de los factores causales de la maloclusión.

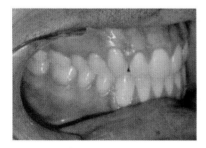 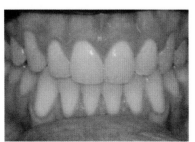 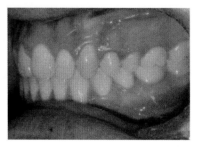

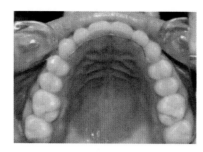 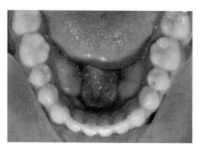

Una vez retirada la aparatología, independientemente de la contención fija, no se pierde de vista la importancia de colocar un vehículo que "recuerde" la posición lingual nueva adquirida, que será fundamental como factor de estabilidad a largo plazo. Se le entrega al paciente un dispositivo del sistema Trainer (T4 A), para usar de noche al dormir, y se indican una serie de ejercicios para realizar durante el día.

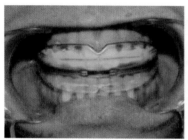  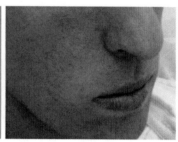

Caso Clínico

Paciente de 13 años, con mordida abierta anterior producto de interposición lingual en la deglución y posición baja durante el descanso.

Se trata con ortodoncia de baja fricción, elásticos tempranos, arcos amplios y desoclusiones con ejercicios de squeezing.

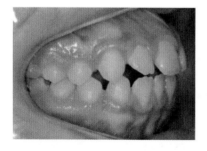 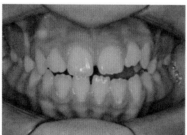 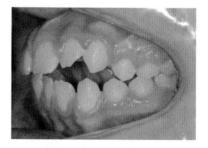

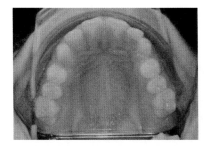 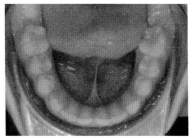

En la telerx lateral se puede observar lo dicho anteriormente; Una lengua en posición baja, representada por el trazo del triángulo hiodeo, donde este quedaría relegado a una simple linea recta.

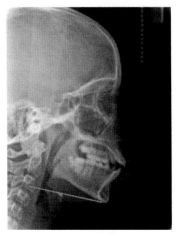

Retirada la aparatología ortodoncica, independiente a la contención fija, se considera de importancia la contención bimaxilar mediante un dispositivo que ayude a mantener o terminar de rehabilitar la función deglutoria y la colocación correcta de lengua, tratando así de evitar recidivas en un futuro.

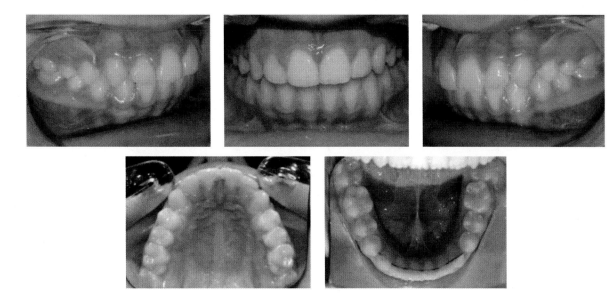

Se elige como dispositivo el BIONATOR DE BALTERS de uso nocturno.

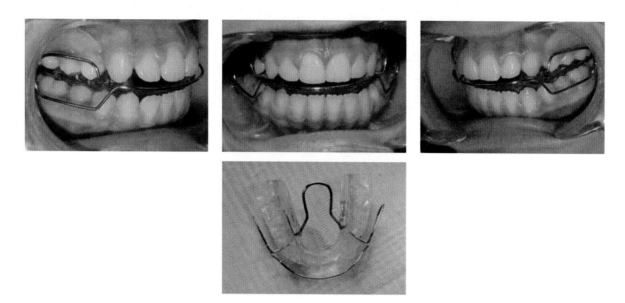

Caso Clínico

Paciente de 10 años con habito de succión digital, que provoca una gran mordida abierta anterior con la consecuencia de una deglución atípica que a su vez potencia aún más la situación

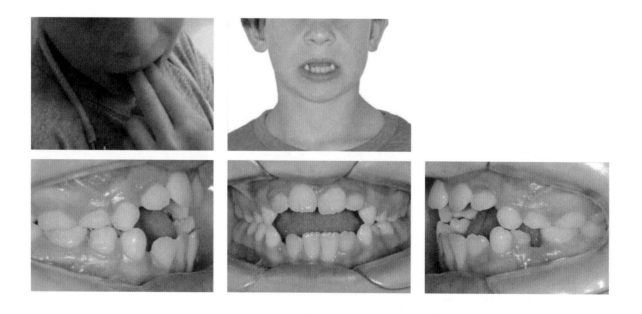

- Se decide primero eliminar el hábito de la succión digital mediante la colocación de una parrilla, ya que se debía resolver con rapidez previo a la ortodoncia.

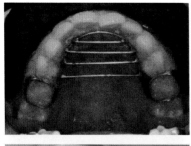

ORDEN DE Ⓥ VEHÍCULOS

- PARRILLA
- PITTS 21
- APARATO FUNCIONAL (A.A.E.K.)

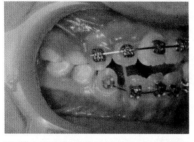 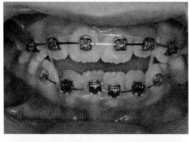 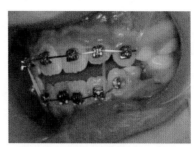

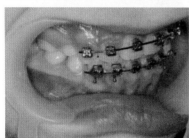 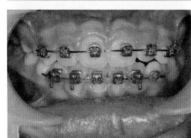 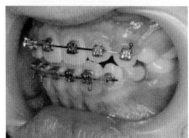

- Finalizado la fase 1 del tratamiento, se logró el cierre de la mordida abierta anterior devolviendo no solo la guía dentaria anterior sino también la posibilidad de rehabilitar la deglución.

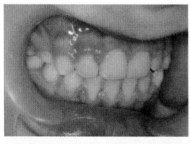 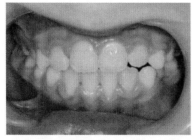 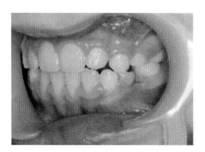

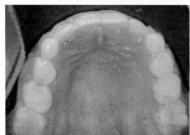 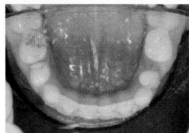

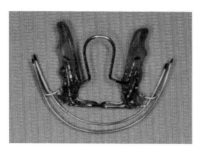  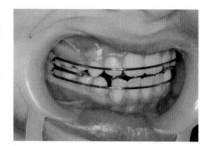

LA MASTICACION

- La masticación es una función a tener en cuenta como posible factor de origen en ciertas maloclusiones tempranas y con repercusiones en el adulto.

- A los 3 años madura con el cambio de deglución primaria a la secundaria, interviniendo la musculatura masticatoria y la dentición.

- El comienzo u origen de algunas maloclusiones en dentición temporaria en parte están directamente relacionadas con el tipo de alimentación que consume el niño; si este hábito persiste en el tiempo, en el adulto luego podrá tener consecuencias dentoalveolares y hasta incluso faciales.

¿La Herencia o el Medio Ambiente?

- Y aquí la pregunta es: ¿Los problemas dentoalveolares que observamos en la clínica diaria a temprana edad, serán de origen hereditario o estarán influenciados por el medio ambiente?

- La respuesta después de leer extensas bibliografías junto a la experiencia clínica de muchos años, me hace pensar que la gran mayoría tienen una influencia del medio ambiente para que se desarrollen y si hubiese algún componente genético presente predisponente, es sin duda los factores epigenéticos los que desarrollarán y potenciarán esa condición.

- Hay estudios que han analizado poblaciones genéticamente similares, habitando medio ambiente opuestos, con costumbres y hábitos alimenticios distintos. Los resultados generales arrojaron que algunos de los problemas ortodoncicos son de origen ambiental y no tan genéticos. En ambientes rurales, donde la alimentación es en base a alimentos **NO** procesados y poca azúcar agregada, coincide con individuos de arcadas bien desarrolladas y poca incidencia de caries; En cambio en grandes ciudades se observa mayormente individuos con arcadas pequeñas y alto nivel cariogénico.

ALIMENTOS SIN PROCESAR   ALIMENTOS PROCESADOS Y REFINADOS

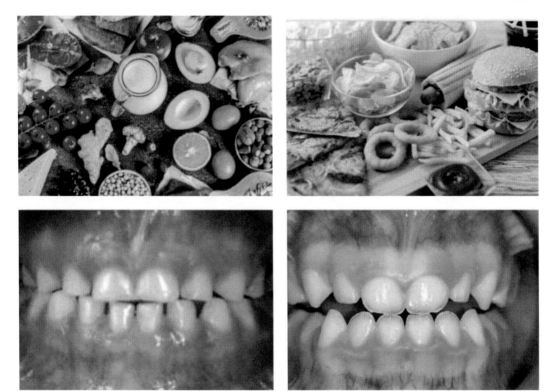

ARCADA AMPLIA CON DIASTEMA   ARCADA ESTRECHA SIN DIASTEMA
(FUTURO APIÑAMIENTO)

- En algunos casos donde las arcadas dentarias no presentan desgaste fisiológico, siendo el resultado de una alimentación procesada, podrá ser el origen de posibles **trabas dentarias.**

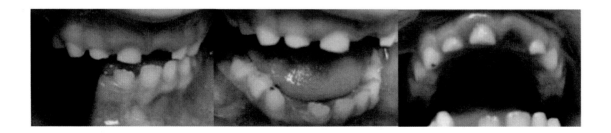

La **traba dentaria** no identificada a tiempo, generará dependiendo el desvío en la trayectoria final de cierre mandibular las siguientes maloclusiones:

- **Laterodesviación mandibular funcional:** el contacto prematuro (canino por lo general), genera un desplazamiento hacia el lado contrario; Se evidencia clínicamente como una mordida invertida unilateral posterior.

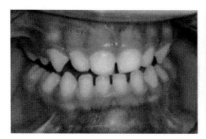 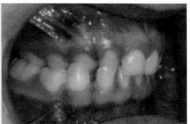

- **Prodeslizamiento mandibular funcional:** el contacto prematuro genera un desplazamiento de la mandíbula hacia adelante, evidenciándose como una mordida invertida anterior.

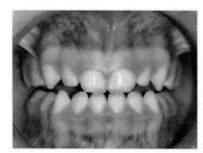 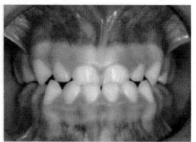

- Pero la historia continúa; No solamente la consistencia blanda o procesada de los alimentos evita el desgaste de las piezas generando trabas dentarias, sino también influye en el desarrollo de la tonicidad de los músculos masticadores (principalmente masetero y temporal).

- En el adulto, también es importante tener presente a la hora de diagnosticar y tratarlo ortodonticamente el tema referido a la masticación.

- El paciente que tuvo de niño dieta blanda, y no desarrolló su musculatura masticatoria y de adulto continúa con las mismas conductas, es muy común ver en ellos, la falta de tonismo en maseteros y temporal.

Por eso en adultos, durante el tratamiento de ortodoncia con autoligantes pasivos Pitts21, ILSE y desoclusiones, tríada indisoluble, es sumamente importante "entrenar" esos músculos hipotónicos, permitiéndonos rehabilitar funcionalmente al paciente a medida que avanza su tratamiento.

Terapia miofuncional intratamiento

- La terapia miofuncional consiste en solicitar al paciente que realice una serie de ejercicios para aumentar el tono muscular del masetero y temporal y así lograr mayor control vertical posterior.

- Como sugiere el Dr.Pitts en su protocolo de atención y teniendo en cuenta las biomecánicas simultáneas, estos ejercicios el paciente los realizará desde el inicio de su ortodoncia.

TERAPIA MIOFUNCIONAL

- Masetero
- Temporal

EJERCICIOS SQUEEZING

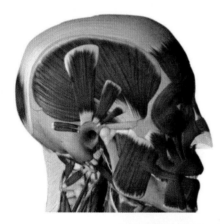
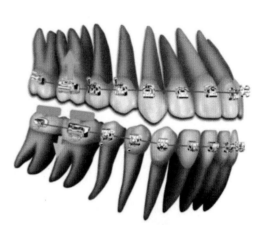

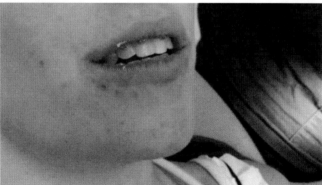

- Los ejercicios de "Squeezing" o apretamiento dentario consisten en: apretar con fuerza las desoclusiones que colocamos en zona de molares durante 60 segundos ininterrumpidos, 6 veces al día, percibiendo como se marcan en la cara la contracción del masetero y temporal.

- Otro modalidad de apretamiento consiste en "6 x 6 x 6", que son apretar zona de molares 6 veces, durante 6 segundos, 6 veces al día.

APENDICE DE EJERCICIOS RECOMENDADOS
PARA TERAPIA MIOFUNCIONAL

El espejo empañado

Se le indica al paciente que Inhale aire profundo por ambas fosas nasales y coloque un espejo debajo de la nariz. Luego al exhalar deberá observar si el espejo se ha empañado. Inhala aire nuevamente, ahora por una sola fosa nasal y coloca nuevamente el espejo debajo de esa fosa nasal para observar si se ha empañado; Repite esta acción luego con la otra fosa nasal individualmente.

Tubos Estimuladores

Se le indica al paciente que coloque un tubo estimulador en cada fosa nasal y con los labios completamente cerrados deberá respirar únicamente a través de estos tubos.

Respiración Consciente

En esta terapia se le indica el siguiente ejercicio para que el paciente aprenda a identificar el tipo de respiración que tiene; si es superficial o profundiza a nivel pulmonar (ideal).

Aprenderá a respirar únicamente por la nariz, sin mover los hombros, ni el pecho solo moviendo el abdomen.

Lo deberá practicar en 3 posturas diferentes:

- <u>Sentado</u>: sentado en un banco sin espaldar, con la postura derecha y los pies tocando el piso. Debe Inhalar despacio y exhalar solo con movimiento del abdomen.

- <u>Pegado a la pared:</u> con la postura derecha debe pegar la espalda hacia la pared, exagerar la postura y pegar también los hombros a la pared. Una vez adoptada esta postura deberá Inhalar despacio y exhalar solo con movimiento del abdomen.

- <u>Acostado en el piso</u>: tendido en el suelo debe pegar los hombros al piso, colocar un objeto (caja, pelota, libro) sobre su abdomen y ver como sube al respirar solo con el movimiento del abdomen, sin que haya movimiento de hombros o del pecho.

TERAPIAS LABIALES

Soplando el globo

Aquí deberemos indicarle al paciente que tome un globo de látex y lo infla soplando sin tocarlo con las manos, sosteniéndolo únicamente con los labios.

Pops Labiales

En este ejercicio le solicitamos al paciente que tome aire por su boca y uniendo sus labios infle las mejillas para soltar el aire en forma de Pop o burbuja (se debe escuchar el sonido de "Pop")

Pez globo

Le solicitamos al paciente que tome aire por su boca e infle las mejillas y los labios empujando el aire hacia fuera mientras mantiene los labios en contacto para evitar que el aire no se salga. Debe sentir la presión del aire en sus músculos.

Botones

En esta técnica se solicita al paciente que coloque el botón más grande dentro de la boca entre los dientes y los labios, luego deberá cerrar los labios, empujar hacia afuera el botón de manera horizontal, hacia abajo y hacia arriba mientras trata de mantenerlo dentro de su boca. Luego hará el mismo ejercicio con el botón mediano y finalmente con el botón mas pequeño.

Sujetar sorbetes o galletas

Se le solicita al paciente que coloque un sorbete o galleta entre sus labios y deberá mantenerlo de manera horizontal durante 1 minuto, evitando que el mismo se mueva, siempre tratando de mantenerlo en forma horizontal.

Moviendo tus labios

Realiza un movimiento con tus labios hacia el lado derecho y hacia el lado izquierdo, llegando a la posición más lejana que puedas de cada lado.

Sosteniendo la cuchara

Se le solicita al paciente que sujete una cuchara con los labios y la mantenga horizontal sin moverla, luego puede ir colocando peso sobre la cuchara (monedas o algún objeto de peso) y tratará de mantenerla horizontal sosteniendo solo con sus labios.

Succionar y mantener

Se solicita al paciente que pegue la punta de la lengua en la posición de reposo y luego la lengua completa en el techo de la boca (paladar), succione y mantenga la lengua pegada al techo de la boca durante 1 minuto.

Moviendo la lengua

Solicitamos al paciente que saque la lengua lo más que pueda hacia delante, luego que mueva la lengua hacia el lado derecho sin tocar el borde la boca (comisura labial) y por último la mueva hacia el lado izquierdo.

Barriendo el paladar

Para realizar esta técnica se necesita tener un espejo de mano. Se le solicita que pegue la punta de la lengua en la posición de reposo y luego con la punta de la lengua barra el techo de la boca (paladar) de adelante hacia atrás, repita constantemente.

Contraresistencia

Se solicita al paciente que saque la lengua y la lleve con fuerza hacia afuera, mientras hace resistencia en la punta de la lengua con un bajalenguas; Deberá sentir la presión en los músculos de la lengua.

Empujando el paladar

Solicitamos al paciente que pegue la punta de la lengua en la posición de reposo y empuje colocando previamente en la punta de la lengua una goma de mascar; Luego elevará la punta de la lengua y la llevará hacia arriba con fuerza apretando la goma de mascar contra las rugas palatinas.

Punta de la lengua hacia arriba

Se le solicita al paciente que saque la lengua completamente y eleve la punta hacia arriba sin tocar ninguno de los labios.

TERAPIAS PARA LA DEGLUCIóN CORRECTA:

Tragar sin mover los labios

Le solicitamos que trague varias veces mirando frente al espejo y no realizar ningún movimiento con el labio inferior mientras traga.

Tragar funny face

Aquí le solicitaremos al paciente que trague relajando los músculos y sin realizar ningún movimiento en su cara ni en sus labios.

Tragar con spray (squirt bottle swallow)

Este ejercicio lo podemos realizar junto al paciente en el sillón del consultorio. Le solicitamos que coloque la lengua en la posición de reposo y le colocamos spray en el piso de la boca, le pedimos que trague sin quitar la punta de la lengua de la posición de reposo.

Deglución refleja

El paciente deberá sujetar la punta de la lengua y a la vez inyectar con una jeringa agua fría al paladar que será tragada con la parte posterior del paladar y el velo emitiendo el fonema A.

Deglución refleja

Le solicitamos al paciente que coloque la punta de la lengua en posición de reposo, tome un sorbo de agua y ponga la lengua en forma de cuchara para albergar en el centro el agua, cierre con sus dientes posteriores e inicie la deglución correcta, mantenga erecta su cabeza y luego la inclinará hacia atrás para tragar la última gota. No deberá chuparse los labios al terminar de beber.

TERAPIAS PARA LA MASTICACIÓN:

Masticando suficiente

Le solicitamos que mastique de ambos lados de su boca cada bocado de sus alimentos por 15 veces, contándolos en su mente.

Masticando goma

Le solicitamos al paciente que mastique de ambos lados de su boca la goma durante 2 minutos.

SECCIóN 3

ASIMETRÍAS Y BIOMECÁNICAS ASIMÉTRICAS

Sección 3
Asimetrías y Biomecánicas Asimétricas
Capítulo 8
Introducción

Antes las distancias eran mayores porque el espacio se mide por el tiempo
Jorge Luis Borges (1899-1986)
Escritor y poeta argentino.

Los casos de asimetrías nos ofrecen variantes en su **D** Diagnóstico y, por consecuencia, los planes de tratamiento, vehículos **P.V** y **B** Biomecánicas también difieren entre sí.

Esquemáticamente las podemos clasificar en dentarias, funcionales, esqueletales, y otro grupo que combina, en el mismo caso 2 y hasta las 3 variantes precitadas.

1

1) ASIMETRÍAS DENTARIAS

Las asimetrías dentarias corresponden a problemas de la discrepancia diente-hueso; pueden presentarse a cualquier edad es decir en tratamientos "tempranos" Fase I de dentición mixta o Fase II de adolescentes y adultos. Son, en líneas generales, de pronóstico favorable en la medida que se manejen adecuadamente los espacios que faltan, los espacios a mantener o los espacios a cerrar.

En las figuras 2 a 11 se observan imágenes de 2 asimetrías dentarias, una de ellas con falta de espacio para la ubicación de la pieza 12; la otra, con diastemas anteriores derivados de la agenesia del incisivo lateral superior derecho; ambos pacientes presentan, con causales y tratamientos diferentes, asimetrías dentarias con línea media superior desviada hacia la derecha.

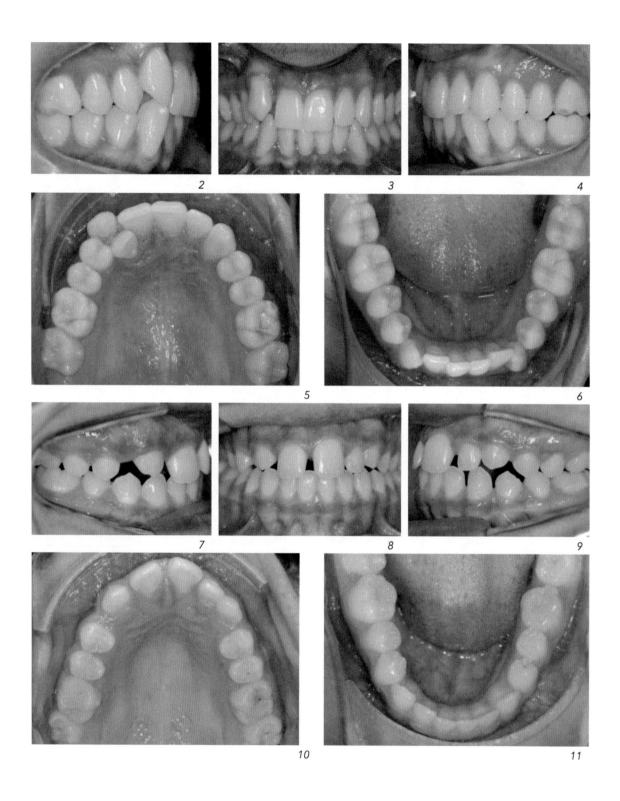

Las causales de estos frecuentes problemas pueden generarse a partir de etiologías primarias diferentes que, con el tiempo, nos conducen hacia asimetrías dentarias de espacio. *(Fig. 12)*

ASIMETRÍAS DENTARIAS / ETIOLOGÍAS
A. INSUFICIENTE ESPACIO PARA UN CORRECTO POSICIONAMIENTO DENTARIO
B. ERUPCIONES ECTÓPICAS
C. SUPERNUMERARIOS
D. AGENESIAS
E. QUISTES
F. ANQUILOSIS
G. PIEZAS RETENIDAS
H. CARIES INTERPROXIMALES
I. PÉRDIDA DE PIEZAS DENTRARIAS
J. DIFERENCIA DE TAMAÑO M-D EN PIEZAS CONTRALATERALES

12

2) ASIMETRÍAS FUNCIONALES

Tanto en tratamientos tempranos (Fase I), como en adolescentes o adultos (Fase II), un núcleo de pacientes presentará, en oclusión máxima, un desequilibrio ortopédico en sus A.T.M con desplazamiento funcional mandibular lateral o latero anterior.

En un principio es posible que el cierre mandibular, guiado por músculos, ligamentos y demás componentes articulares se vea obstaculizado por una determinada interferencia oclusal que, al "evitarla", genera en el tiempo y su repetición, una respuesta neuromuscular con oclusión máxima dentaria de mayor confort a expensas de una inestabilidad ortopédica de las A.T.M. *(Figs. 13 y 14)*

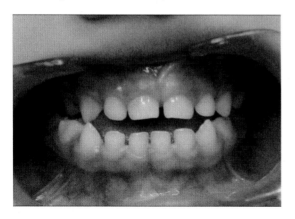

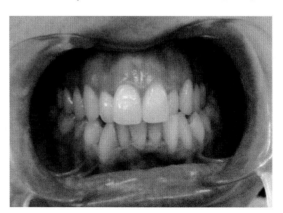

13

14

A. **MALPOSICIóN DENTAR IA QUE GENERA EL CONTACTO DEFLECTIVO**

B. **INCOORDINACIóN TRANSVERSAL DE ARCADAS**

C. **INDEBIDA INCLINACIóN (TORQUE) EN SECTOR DE PREMOLAR/es y/o MOLAR/es**

3) ASIMETRÍAS ESQUELETALES

Otro núcleo de pacientes, más allá de su maloclusión, presentan un trasfondo de asimetría que tenemos que valorar en el diagnóstico, pronóstico, plan y ejecución de sus tratamientos; en ellos nos encontramos con diferentes formas y tamaños condíleos, compensaciones verticales en el maxilar superior, canteados del plano oclusal, etc, etc.

En estos casos, luego de un panorama **D** Diagnóstico general, es de crucial importancia saber con qué tipo de expectativas aborda la/el paciente su tratamiento; ¿es mejorar su estética dentaria y oclusión? (solución *camuflaje*) o, fundamentalmente, ¿su deseo es un cambio en macroestética?.

En este capítulo expondremos dos pacientes de sexo femenino, similar edad, asimétricas esqueletalmente, que optaron por opciones diferentes.

3.A) Opción Camuflaje *(Figs. 15 a 54)*

3.B) Opción ortodoncia + cirugía ortognática *(Figs. 59 y 86)*

15

16

17

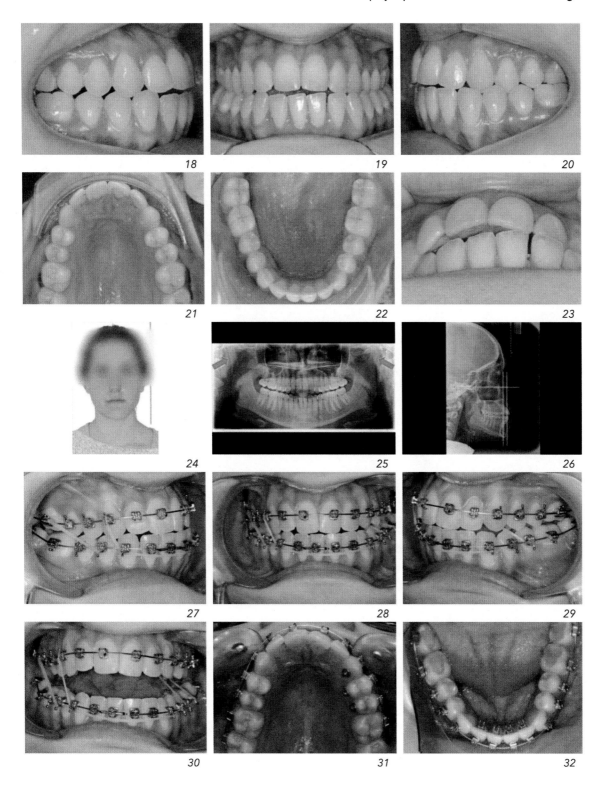

18

19

20

21

22

23

24

25

26

27

28

29

30

31

32

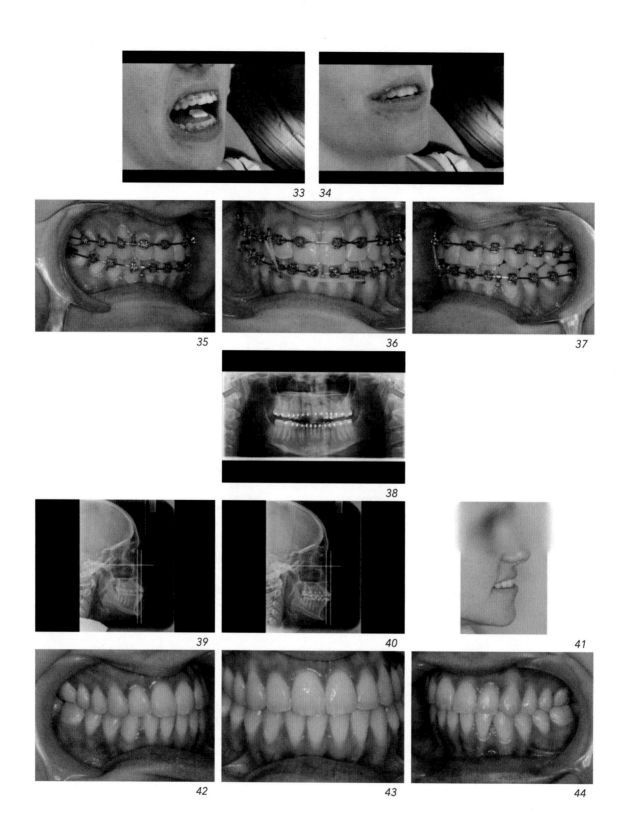

33 34

35 36 37

38

39 40 41

42 43 44

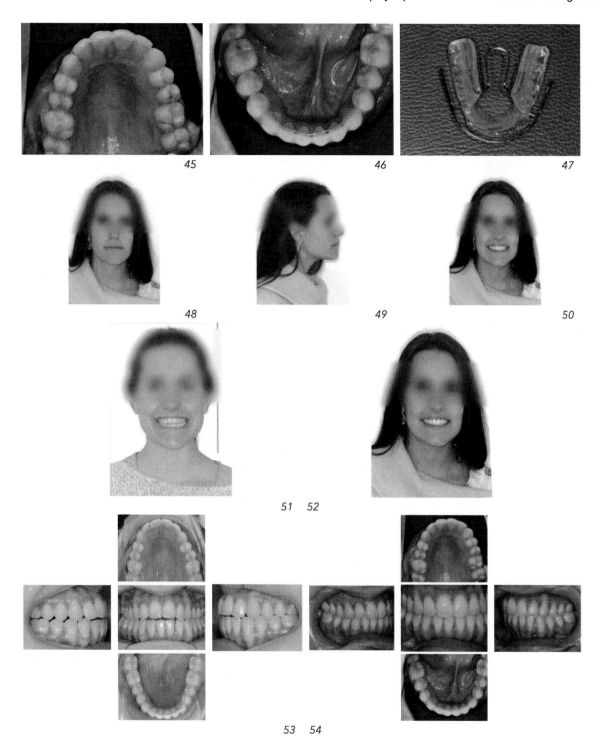

45 46 47

48 49 50

51 52

53 54

3.A) Opción Camuflaje *(Figs. 15 a 54)*

Ⓓ Esta paciente, además de su mordida abierta, presentaba una asimetría esqueletal apreciable clínicamente y en la Rx panorámica (ver cóndilos mandibulares). Sus requerimientos en el tratamiento eran referidos a la corrección S.A.P. ya que presentaba una curva inversa de sonrisa y funcionales oclusales.

P.V Se planificó un tratamiento «camouflaje» con P.S.L Pitts 21 con brackets "Flipped" (giro 180°) en incisivos superiores y Biomecánicas Simultáneas Asimétricas.

B Se realizó una progresión de arcos .018 x .018 y .020 x .020 Niti Ultra Soft Broad Pitts seguidos por B Titanio .020 x .020 con postes; los elásticos siempre fueron asimétricos en su disposición.

ASIMETRÍAS ESQUELETALES
ETIOLOGÍAS MÁS COMUNES

A.   GENÉTICA O CONGÉNITA

B.   MACROTRAUMA MANDIBULAR EN PACIENTES EN CRECIMIENTO

C.   DESVÍOS FUNCIONALES EN ETAPA DE CRECIMIENTO

D.   FACTORES ADQUIRIDOS.
Ejemplos: INFECCIONES, TUMORES,
PROCESOS DEGENERATIVOS A NIVEL CONDÍLEO, ETC.

3.B) Opción ortodoncia + cirugía ortognática

ESQUELETAL   +   DENTARIA

(Figs. 55 y 84)

55   56   57

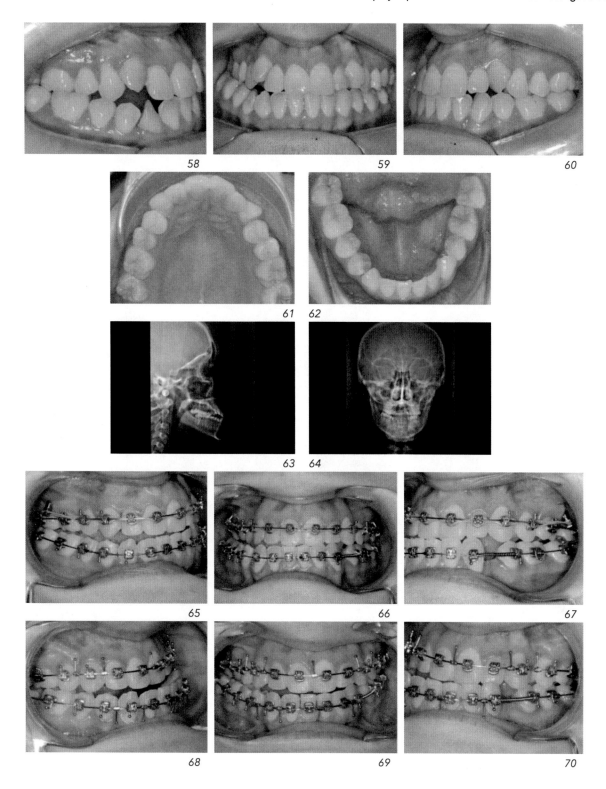

58

59

60

61 62

63 64

65

66

67

68

69

70

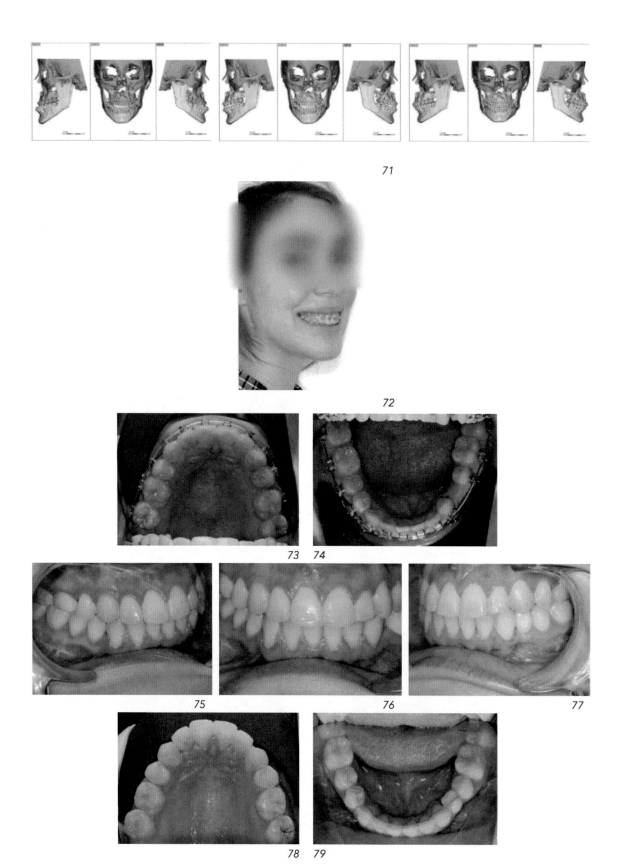

71

72

73 74

75   76   77

78 79

80   81   82

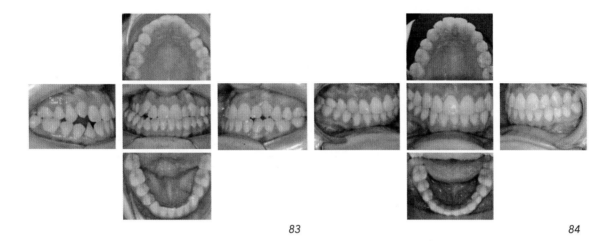

83   84

Esta joven paciente presentaba una asimetría Esqueletal que ortodónticamente habían querido resolver con la extracción del 34 (1° premolar inferior izquierdo) generando, entonces una asimetría dentaria.

Sus requerimientos ante el tratamiento eran mejorar aspectos estéticos de su sonrisa, pero también mejoras en macroestética.

Visto el Diagnóstico **D** se resolvió un **P** Plan de tratamiento ortodóntico-quirúrgico - implantológico que incluiría la extracción de segundos premolares superiores y una retracción anterosuperior con anclaje máximo.

En la arcada inferior se abrió espacio para implante del 34 que había sido extraído.

Estos procedimientos se complementarían con una cirugía que involucraría tanto al maxilar superior como a la mandíbula.

En **B** Biomecánica se realizó una ortodoncia prequirúrgica utilizando tubos y brackets H4 (P.S.L), se realizó la retracción anterosuperior valiéndose de T.A.D.S infracigomáticos y cadena elástica. *(Figs. 55 y 84)*

La cirugía ortognática y el implante en zona de 34 fue realizada por el Dr. Claudio Fernández (Uruguay).

4) COMBINACIONES

Ya hemos señalado que otras asimetrías que se nos presentan a consulta combinan 2 y, hasta en ocasiones, las 3 variantes expuestas.

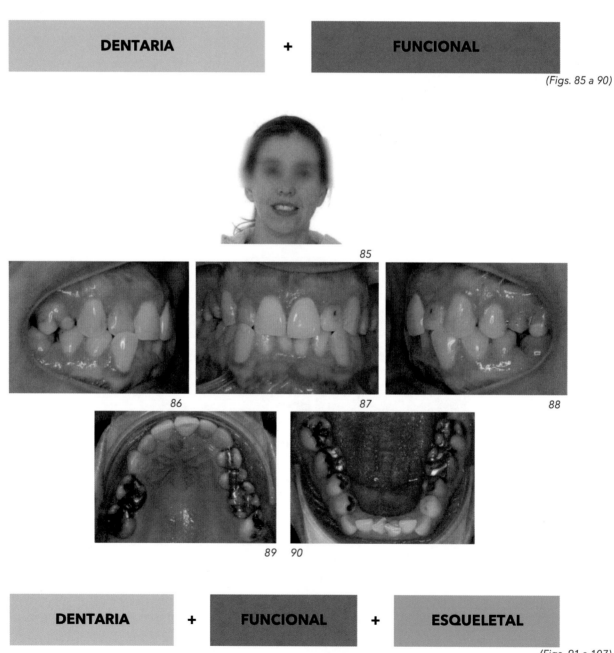

| DENTARIA | + | FUNCIONAL |

(Figs. 85 a 90)

85

86   87   88

89   90

| DENTARIA | + | FUNCIONAL | + | ESQUELETAL |

(Figs. 91 a 107)

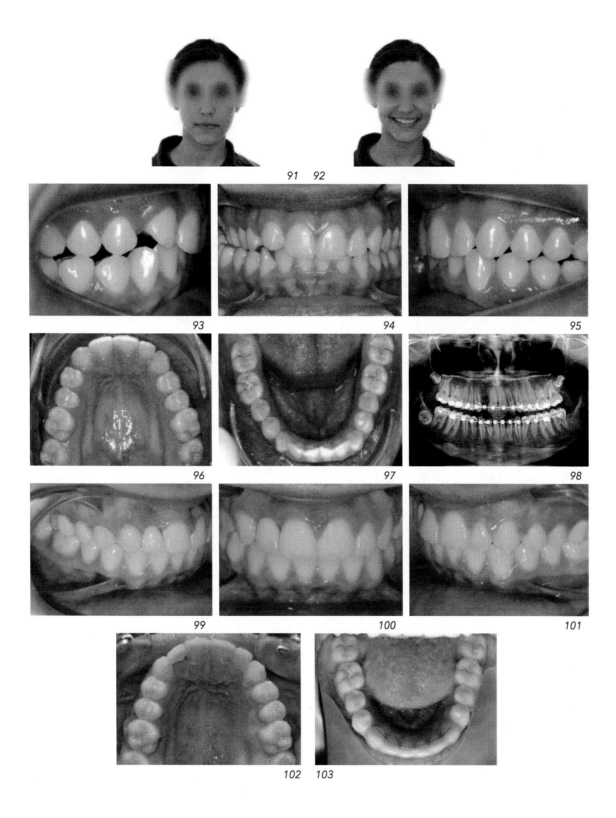

91   92

93

94

95

96

97

98

99

100

101

102   103

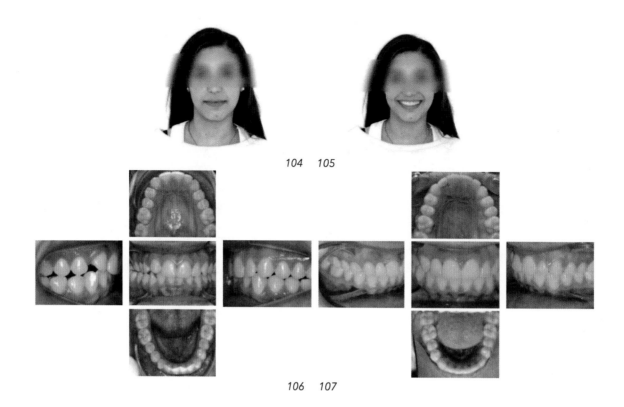

104   105

106   107

B

BIOMECÁNICAS SIMULTÁNEAS

Cuando abordamos, planeamos y ejecutamos tratamientos de diferentes asimetrías es usual que las respuestas **B** Biomecánicas sean, también asimétricas. *(Figs 108 y 109)*

108

VARIANTES

A. VÍNCULOS DENTARIOS AL ARCO

B. RESORTES

C. ELÁSTICOS

D. EXTRACCIONES

E. DESGASTE INTERPROXIMAL I.P.R.

F. IMPLANTES

G. T.A.D.S.

H. CIRUGÍA

109

Algunas de estas variantes las veremos en los casos presentados en esta sección.

Sección 3
Asimetrías y Biomecánicas Asimétricas
Capítulo 9
Paciente 5

En algún lugar algo increíble está esperando a ser descubierto.
Carl Sagan (1934-1996)
Astrónomo y escritor estadounidense.

Como establecimos en la introducción de la sección (Capítulo 8), desde el punto de vista (D) diagnóstico, existen asimetrías dentarias, funcionales y esqueletales, mientras que otras presentan 2 o hasta las 3 variantes.

El caso que presentamos aquí justamente combina una pequeña asimetría esqueletal con una funcional más marcada. *(Figs 1 y 15)*

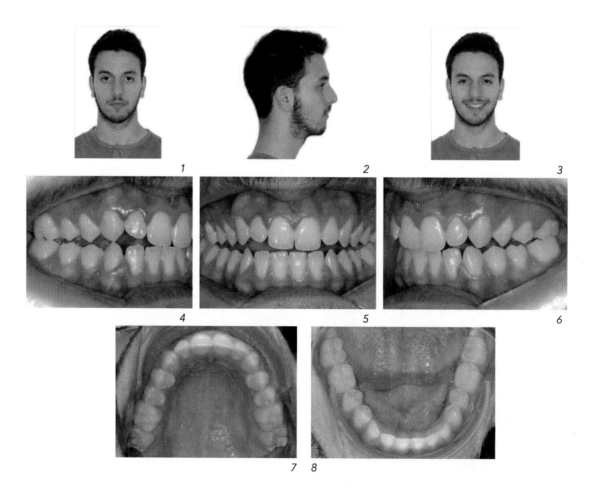

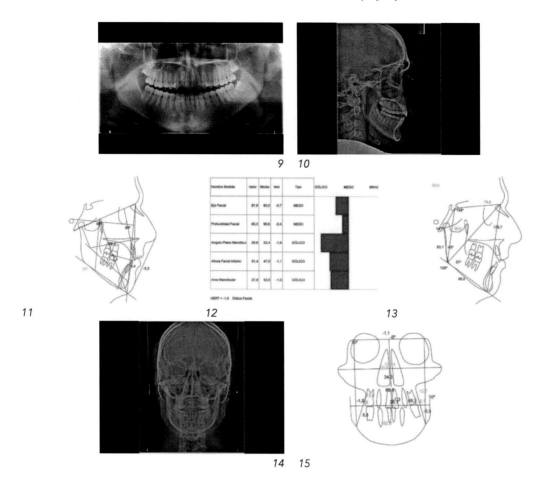

9   10

11   12   13

14   15

DIAGNóSTICO

Paseando por las áreas que ya hemos mencionado, íbamos coleccionando, de forma ordenada el perfil de los problemas ortodónticos de nuestro paciente. *(Figs 16)*

1) **EDAD Y BIOTIPO**

2) **ESTÉTICA**

3) **ESQUELETAL**

4) **DENTARIO**

5) **FUNCIONAL**

6) **REQUERIMIENTOS DEL PACIENTE**

16

1) EDAD Y BIOTIPO

Joven pero adulto, la incidencia a favor o en contra del crecimiento no era un factor para considerar.

2) ESTÉTICA

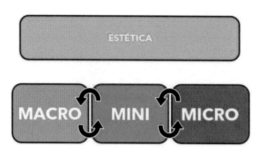

17

En macro, verticalmente, el tercio inferior de cara supera al medio. **(rojo)**

 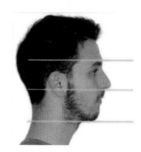

18   19

Ángulo nasolabial aumentado y corta distancia cuello mentón.

La sonrisa muestra una curva inversa con caninos bastante más largos que los incisivos laterales. S.A.P **(azul)** *(Fig. 20)*

20

3) ESQUELETAL

Se presentaba una pequeña asimetría que se combinaba con un desvío funcional mandibular en oclusión máxima. *(Figs. 1, 11 y 15)*

4) DENTARIO

En oclusión máxima (OM) se constataban pocos puntos de contacto interarcada con mordida abierta en sectores laterales e insuficiente guía anterior.

Muy pobre intercuspidación máxima que nos muestra en la toma frontal tanto un desfasaje de líneas medias superior e inferior como el típico «reloj de arena» con estrechez dentoalveolar debida a desbalances musculares. *(Figs. 21 a 25)*

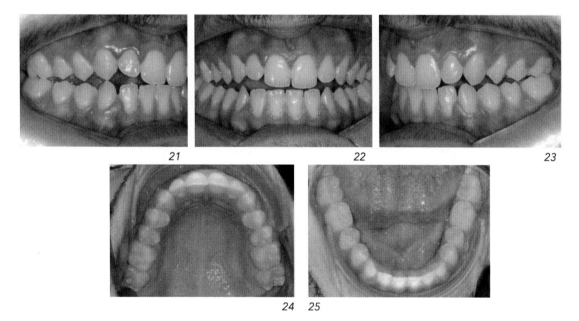

21   22   23

24   25

En la Rx panorámica se observa la ausencia de la pieza 48 (había sido extraída), mientras que el 38 se encontraba semi retenido y mal posicionado por falta de espacio; los cordales superiores mostraban también ciertos problemas eruptivos; esta situación se mantuvo en el postratamiento y se le aconsejó la avulsión de estas 3 piezas. *(Figs. 26 y 27)*

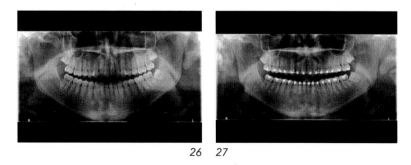

26   27

~ 175 ~

5) FUNCIONAL

Debido a interferencias oclusales era apreciable un desvío mandibular hacia la derecha en oclusión máxima.

En las *fotos 28 y 29* se comprueba que existe un desfasaje de líneas medias entre ambas arcadas en oclusión máxima (Fig. 28) que se atenuaba al realizar cierta apertura bucal y liberarse de los contactos deflectivos. *(Fig. 29)*

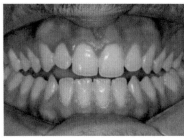 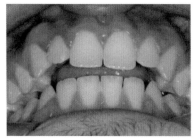

28   29

Uniendo conceptos del área dentaria y funcional, advertimos un desequilibrio ortopédico de ATM provocado por un muy mal relacionamiento oclusal interarcada. En la Rx lateral se observa un posicionamiento vertical del hioides a la altura del borde inferior de la 4° vertebra lo que es concordante con posibles contracturas de músculos infra hioideos, un posicionamiento lingual bajo y su interposición lateral en deglución. *(Fig. 30)*

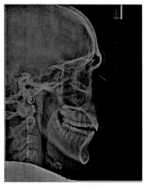

30

6) REQUERIMIENTOS DEL PACIENTE

El paciente fue derivado a nuestra clínica por un colega que lo chequeó en un control de rutina y le advirtió de sus problemas oclusales-funcionales.

Su sonrisa no era de su agrado y era constatable la curva inversa o sea un arco altamente insuficiente. S.A.P **(azul)** *(Fig. 31)*

31

Desde el (D) diagnóstico se tenía la certeza de planificar un tratamiento de un caso con asimetría esencialmente funcional aunque también con una pequeña incidencia esqueletal.

PLANIFICACIÓN Y VEHÍCULOS (PV)

Las necesarias correcciones a efectuar referidas a lo estético, transversal, vertical y, fundamentalmente de las asimetrías combinadas necesitaban unas biomecánicas simultáneas que se cumplirían con la triple asociación vehicular (V) de:

1. **PITTS 21 (POR SU TEMPRANO Y EFICAZ CONTROL 3D**

2. **ELÁSTICOS ASIMÉTRICOS INMEDIATOS (I.L.S.E)**

3. **DESOCLUSIONES**

Queremos dejar constancia que en este caso las desoclusiones resultaban imprescindibles para:

A. **DESPROGRAMACIÓN MUSCULAR**

B. **POTENCIAR EL DESARROLLO DE LOS ARCOS**

C. **POTENCIAR EL EFECTO ASIMÉTRICO DE LOS ELÁSTICOS A UTILIZAR**

(Figs. 32 a 38)

~ 177 ~

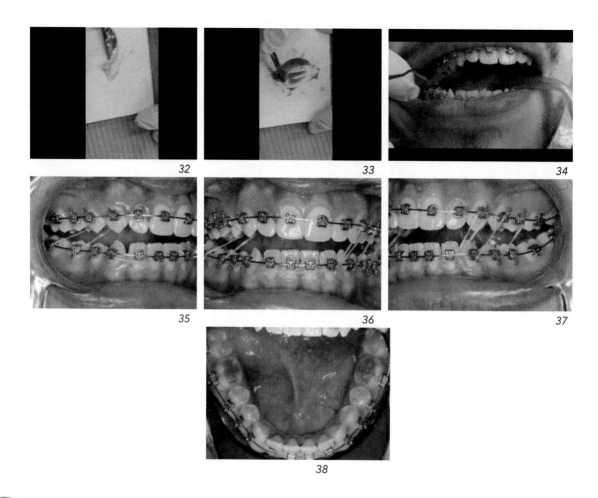

32

33

34

35

36

37

38

BIOMECÁNICAS SIMULTÁNEAS

| 1. PITTS 21 |
| 2. DESPROGRAMACIóN NEUROMUSCULAR |
| 3. DESARROLLO DE LOS ARCOS |
| 4. ELÁSTICOS INMEDIATOS (I.L.S.E) ASIMÉTRICOS |
| 5. EJERCITACIóN NEUROMUSCULAR |

1) PITTS 21

Debido a una ligera retroinclinación de 11 y 21 así como una proinclinación de 12 y 22 se utilizó torque standard en todas las piezas dentarias excepto en estas 2 últimas que fueron giradas 180°. *(Figs. 39 a 53)*

Nuevamente remarcamos los -27° de los tubos molares superiores y su importancia en la coordinación transversal interarcada.

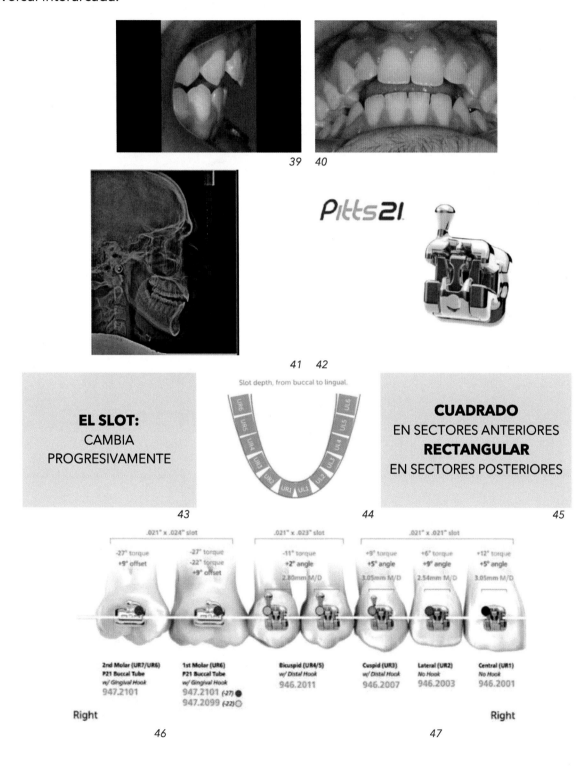

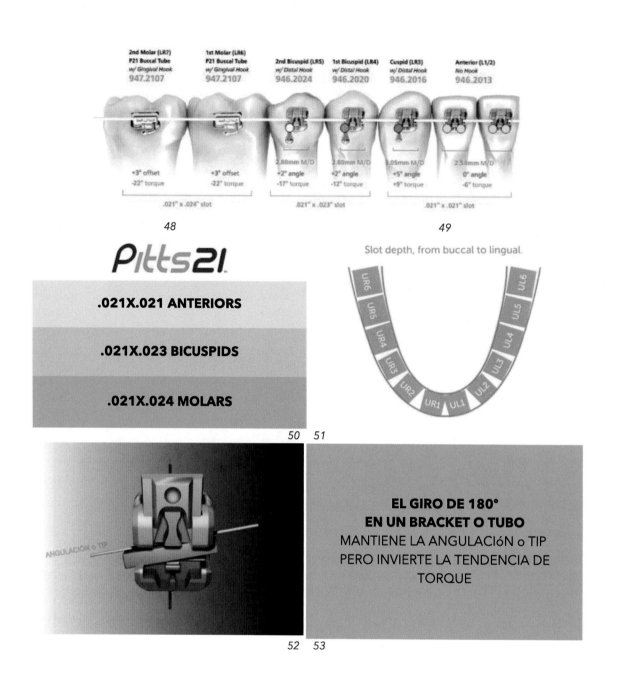

2) DESPROGRAMACIóN NEUROMUSCULAR

La información de contactos oclusales interfirientes «viaja» al sistema nervioso central existiendo una respuesta neuromuscular tendiendo a evitarlos deflexionando lateralmente la mandíbula en este caso hacia la derecha. *(Fig. 54)*

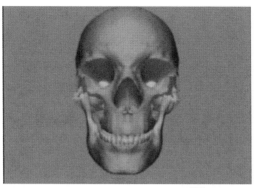

54

Como fue establecido en (PV) este es un primer objetivo de las desoclusiones en asimetrías funcionales «borrando» esa información que también varía durante el tratamiento debido a los cambios posicionales de las piezas dentarias con la progresión de arcos.

3) DESARROLLO DE LOS ARCOS

4) ELÁSTICOS INMEDIATOS (I.L.S.E) ASIMÉTRICOS

A estos 2 apartados los hemos unido pero forman con el Pitts 21 (P.S.L) y las desoclusiones un conjunto en el que todos se potencian y retroalimentan mutuamente.

Luego de 3 semanas con Niti .014 Broad Pitts superior e inferior, involucramos ambas arcadas con .018 x.018 Niti Ultra Soft Pitts Broad; factor clave en este caso tanto del desarrollo transversal y anteroposterior de los arcos como de un enorme progreso en el control 3D de las piezas dentarias.

Los elásticos laterales eran diferentes en su disposición pero iguales en diámetro y fuerza liberada (3/16" y 2,5 oz); en el sector derecho se utilizaron desde botones linguales en premolares a ganchos («hooks») de 45 y 46 o sea a través de la arcada, potenciando el efecto dentoalveolar transversal en el cuadrante superior derecho.

En el sector izquierdo, también con el mismo diámetro y fuerza (3/16" y 2,5 oz), se insertaban en premolares superiores mientras que en la hemiarcada inferior izquierda se vinculaban canino y primer premolar.

En el sector anterior fue indicado el uso de un elástico 5/16", 2 ½ oz en L inversa inserto en 43 – 32 y 23.

Estas Biomecánicas Simultaneas y asimétricas están expuestas entre las *fotos 55 a 65*.

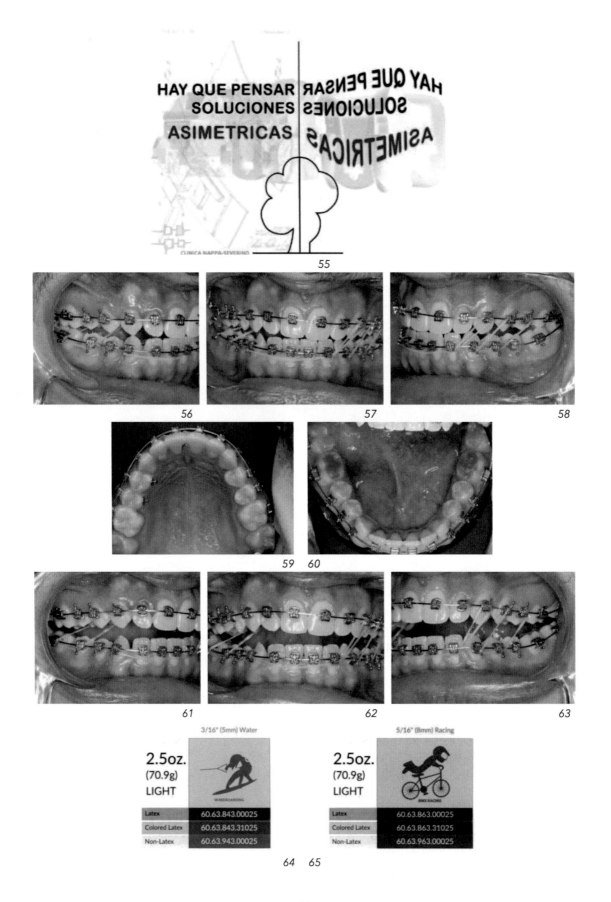

55

56 57 58

59 60

61 62 63

3/16" (5mm) Water		5/16" (8mm) Racing	
2.5oz. (70.9g) LIGHT		**2.5oz.** (70.9g) LIGHT	
Latex	60.63.843.00025	Latex	60.63.863.00025
Colored Latex	60.63.843.31025	Colored Latex	60.63.863.31025
Non-Latex	60.63.943.00025	Non-Latex	60.63.963.00025

64 65

A los 3 meses de tratamiento se progresó hacia Niti Pitts Broad .020 x .020; los elásticos comenzaron a ser 3/16" pero de 3,5 oz utilizados por vestibular en los 4 cuadrantes. *(Figs. 66 a 71)*

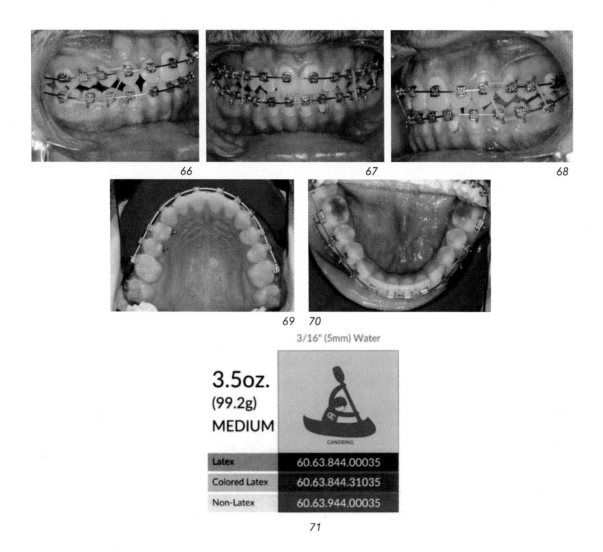

66   67   68

69 70

3/16" (5mm) Water

3.5oz.
(99.2g)
MEDIUM

Latex	60.63.844.00035
Colored Latex	60.63.844.31035
Non-Latex	60.63.944.00035

CANOEING

71

Seguidamente se progresó a arcos B titanio .20 x .020 con postes «crimpados» entre incisivos laterales y caninos.

Los elásticos, asimétricos en su disposición, fueron cortos clase II en sector derecho y cortos clase III en el sector izquierdo; ambos de diámetro 3/16" y 3,5 oz (99 grs.) de fuerza. *(Figs. 72 a 79)*

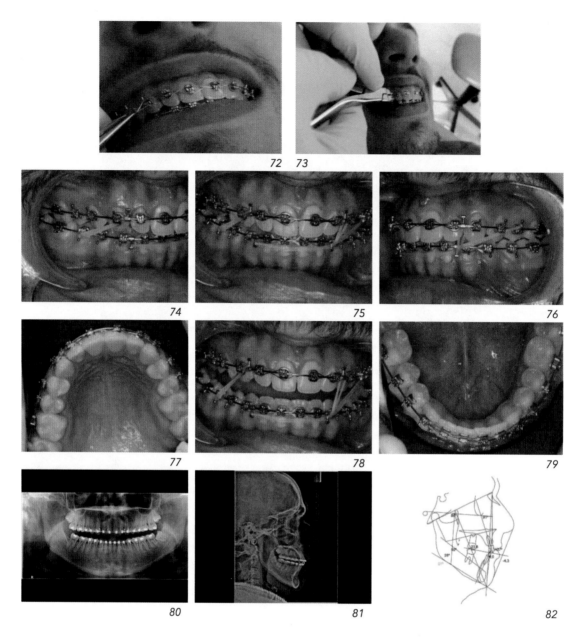

72 73

74 75 76

77 78 79

80 81 82

En *figs. 80 a 82* se muestran Rx finales observándose en la de perfil un mejoramiento tanto en el posicionamiento del hioides y buena inclinación incisiva superior. Desde la *fig. 83 a 91* se aprecian fotos bucales y faciales al finalizar el tratamiento activo.

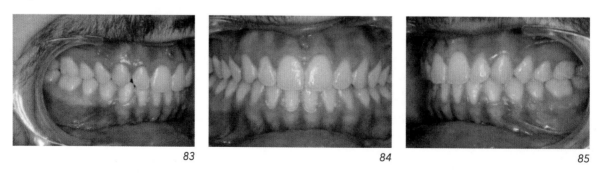

83 84 85

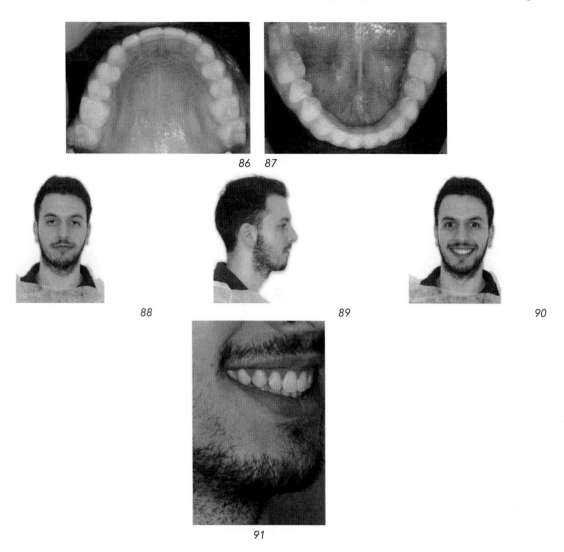

86   87

88   89   90

91

El pequeño desgaste incisal de sus caninos superiores mejoró y permitió diseñar un correcto arco de sonrisa (S.A.P), pero no afectó el objetivo funcional de que esas piezas fueran guía desoclusiva ante movimientos laterales mandibulares. *(Figs. 92 a 93)*

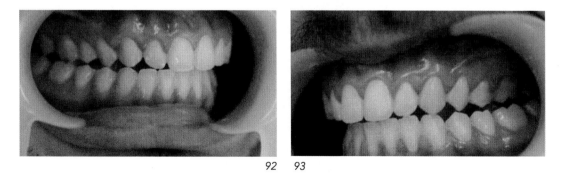

92   93

Sección 3
Asimetrías y Biomecánicas Asimétricas
Capítulo 10
Paciente 6

Lo escuché y lo olvidé, lo vi y lo entendí, lo hice y lo aprendí.
Confucio (551-479 A.C.)
Pensador Chino.

Este caso es una particular y muy pequeña doble asimetría, por un lado, dentaria con línea media superior ligeramente desviada a la izquierda y, por otro funcional, debido a una deflexión mandibular hacia la derecha producto de contactos oclusales interfirientes.

El caso, en realidad, merecería estar en la sección de estética (Sección 1) ya que los grandes y especiales requerimientos de la paciente pertenecían a esa área.

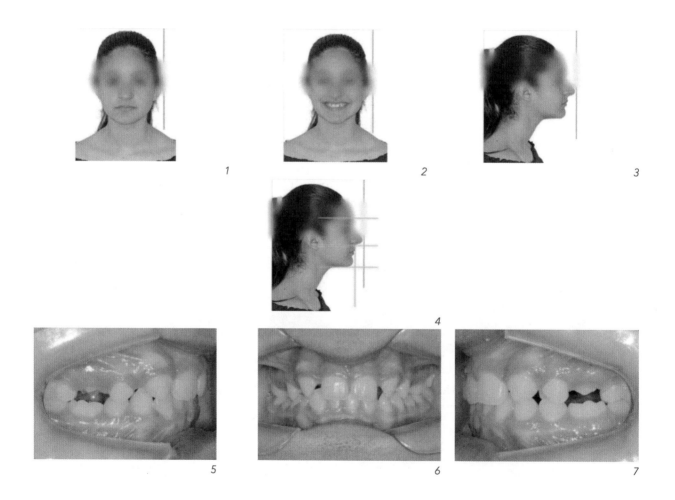

1

2

3

4

5

6

7

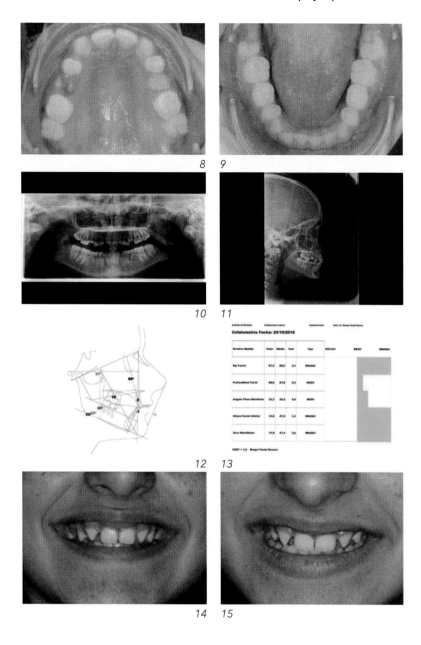

8 9

10 11

12 13

14 15

16

DIAGNÓSTICO

Como de costumbre, con nuestro método, enfoquémonos en el diagnóstico con sus diferentes áreas y también en sus urgencias de tiempo-duración del tratamiento debido a un cambio de residencia familiar hacia el exterior de nuestro país.

Disponíamos, por las razones antes citadas de 8 meses para un mejoramiento escencialmente estético que era el gran objetivo de nuestra joven paciente. *(Fig. 18)*

Área edad y biotipo

- 13 años de edad
- Biotipológicamente braquifacial severa.
  En macroestética se nos presentaba con un tercio inferior de cara menor **(azul)** con respecto al tercio medio. *(Figs. 4,11,12 y 13)*
- Ángulo nasolabial y curvatura del labio superior correctos **(verde)** *(Fig. 3)*

Área dentaria. *(Figs. 5 a 10)*

- Overbite aumentado **(rojo)**
- Agenesias de 12, 22 (incisivos laterales superiores)
- Agenesias 35 y 45 (2° premolares inferiores)
- Pequeño desvío de línea media superior hacia la izquierda (asimetría dentaria)

Área funcional

- En oclusión máxima presentaba una ligera deflexión mandibular hacia la derecha (asimetría funcional).

EL GRAN TEMA

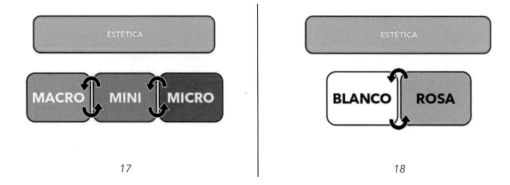

17   18

En estas áreas debíamos centrarnos especialmente y adoptar resoluciones sobre el **P** plan de tratamiento y **V** vehículo/s terapéutico/s.

Enumeremos lo que, a nuestro criterio, estaba correcto **(verde)** y los aspectos a corregir en déficit **(azul)** o en exceso **(rojo).**

1) No existía plenitud dentaria **(azul)** al no presentar una arcada dentaria completa. *(Fig. 19)*

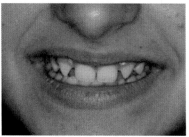

19

2) Buen ángulo nasolabial y volumen del labio superior **(verde)**. *(Fig. 20)*

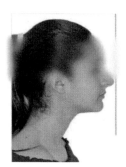

20

3) Lógicamente no existía la sonrisa de 12 piezas **(azul)**. *(Fig. 21)*

21

4) En la relación estética blanca $\longleftrightarrow$ rosa el relacionamiento de los márgenes gingivales distaba de ser mínimamente aceptables. *(Fig. 22)*

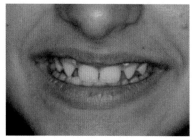

22

5) El relacionamiento proporcional dentario ideal 1:0.8 mostraba incisivos centrales «cortos» con respecto a su ancho M-D. *(Fig. 23)*

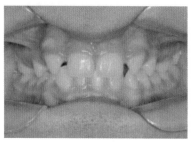

23

6) Por ausencia de 12 y 22 no existían áreas de contacto anterior **(azul)**
7) No existía arco de la sonrisa (S.A.P) *(Fig. 24)*

24

8) No era buena la exposición vertical de los incisivos centrales (V.I.D. y V.I.P)

PLAN DE TRATAMIENTO (P)

La rehabilitación oclusal futura implicaría 2 implantes en las agenesias de segundos premolares inferiores; por razones de edad no era el tiempo apropiado para dicho procedimiento y apenas reduciríamos ligeramente el tamaño M-D de los molares temporarios presentes en boca.

Ante las agenesias de incisivos laterales superiores se presentaban 2 opciones, una de ellas la inserción de implantes como sustitutivos de las piezas faltantes. *(Fig. 25)*

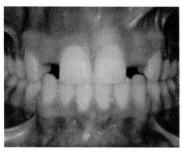

25

Esta alternativa también presentaba el inconveniente de la edad, pero hoy en día se puede solucionar con T.A.D.S en las zonas de futuros implantes definitivos sin molestias y antiestéticas prótesis removibles o adheridas. *(Fig. 26 a 37)*

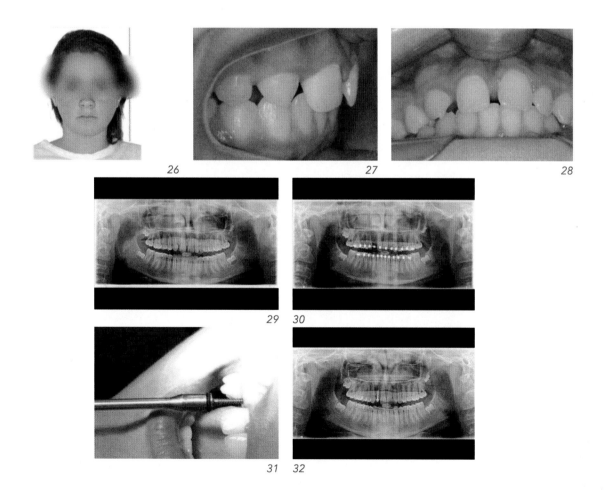

26   27   28

29   30

31   32

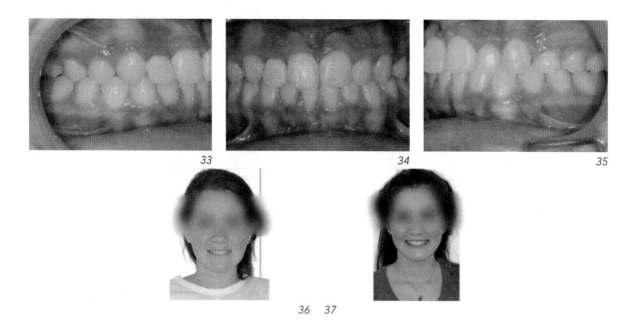

33   34   35

36   37

La otra alternativa implicaría un ajuste de espacios con mesialización de caninos, premolares y molares cambiando roles oclusales y estéticos varias piezas dentarias como se aprecia en las figuras 33 y 34.

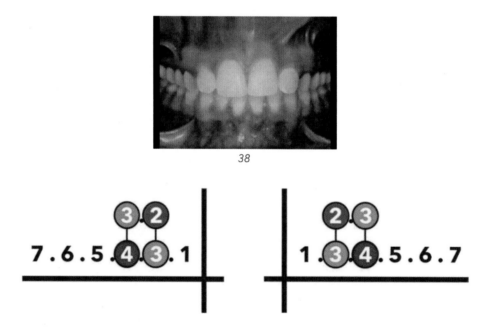

38

7 . 6 . 5 . 4 3 . 1   1 . 3 4 . 5 . 6 . 7

39   40

Los caninos serían incisivos laterales, los primeros premolares caninos, y los molares superiores ocluirán en relacionamiento de clase II; también serían necesarias tareas referidas a recortes gingivales y cambios morfológicos en algunas de estas piezas.

VEHÍCULO (V)

Como en el vehículo terapéutico necesitábamos un muy buen control 3D del sector anterosuperior ya que existía una buena curvatura labial e inclinación incisiva, sin duda que el Pitts 21 en conjunto con una correcta progresión de arcos, desoclusiones y elásticos inmediatos, representan una ayuda de enorme valía a esos efectos.

De todos modos, los brackets y tubos deben tener una adaptación coherente al nuevo esquema oclusal planteado a futuro.

BIOMECÁNICA

1.   ADAPTACIóN DE BRACKETS
2.   ADAPTACIóN DE TUBOS EN 16 y 26
3.   ARCOS
4.   PRIMEROS RECORTES GINGIVALES Y CAMBIOS DE MORFOLOGÍA DENTARIA EN <u>4.3.1|1.3.4</u>
5.   NUEVOS RECORTES GINGIVALES Y CAMBIOS DE MORGOLOGÍA DENTARIA

88

1 y 2. ADAPTACIóN DE BRACKETS	y TUBOS EN 16 y 26

Brackets y tubos deben adaptarse a un proyecto estético y oclusal.

1.   ADAPTACIóN DE BRACKETS

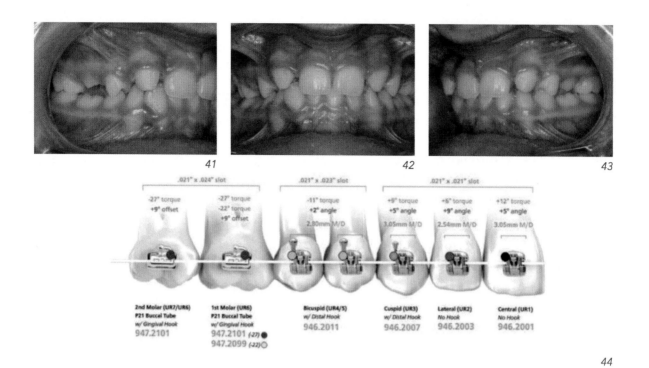

41   42   43

44

Se desgastó ligeramente la superficie vestibular de 13 y 23 y se cementaron brackets de caninos (con «hook» cortado) y con un pequeño error de paralelismo al eje ya que los brackets de caninos superiores tienen una angulación de 5° y los de incisivos laterales 9° (recordaremos que los 13 y 23 iban a ser 12 y 22)

En primeros premolares se utilizaron brackets de caninos más allá de un pequeño desgaste de sus cúspides palatinas y un primer recorte gingival.

Segundos premolares con brackets sin cambio con respecto a un cementado convencional.

2. ADAPTACIóN DE TUBOS EN 16 y 26

Al proyectarse un relacionamiento molar de clase II, conviene que los primeros molares superiores queden algo rotados a los efectos de ocupar un espacio algo mayor (2 mm aproximadamente), en la arcada; no olvidemos que en esos casos la mitad del molar (5,5 mm aprox.) debe ocupar el espacio M-D de todo un premolar (7,5 mm aprox.). *(Fig. 45)*

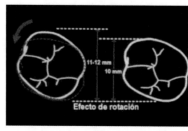

45

A tales efectos existen 2 soluciones:

A) Cementar en 16 y 26 tubos de 36 y 46. *(Fig. 46)*

46

Hacemos notar que el inferior derecho se cementa en molar superior izquierdo y el inferior izquierdo también en la arcada opuesta y contralateral.
Los tubos inferiores tienen 3° de rotación, mientras que los superiores tienen 9°.

B) La segunda alternativa consiste en desplazar a distal de los molares superiores la referencia convencional de su cementado anulando en parte los grados de «offset». En esta paciente se optó por esta última alternativa. *(Fig. 47)*. En dichas piezas se cementaron tubos H4 (.022 x .026) a los efectos de disminuir la fricción en esa zona.

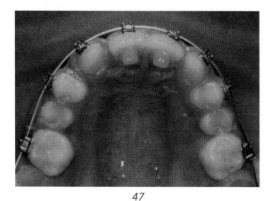

47

3. ARCOS

Por urgencias de tiempo-tratamiento ya citados así como una demora inicial de no poder involucrar a las piezas 15 y 25 que estaban erupcionando, se utilizaron en el tratamiento solamente 2 tipos de arcos. *(Figs. 48 a 51)*

.018 x .018 *Niti Ultra Soft Pitts Broad*
.020 x .020 *Niti Pitts Broad*

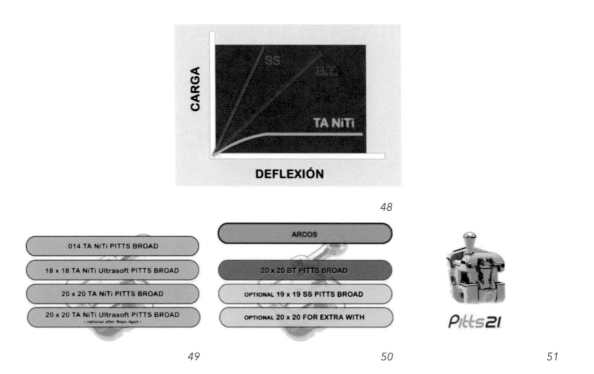

48

49　　　*50*　　　*51*

Las figs. 52 a 57 nos muestran el tratamiento, en un inicio, con arcos .018 x .018 *Niti Ultra Soft Pitts Broad* y elásticos 3/16" 2 oz. Clase III para perder anclaje postero-superior. También son observables las desoclusiones y el desplazamiento a distal en el cementado de tubos en 16 y 26.

En los segundos molares temporarios se cementaron «baby eyelets».

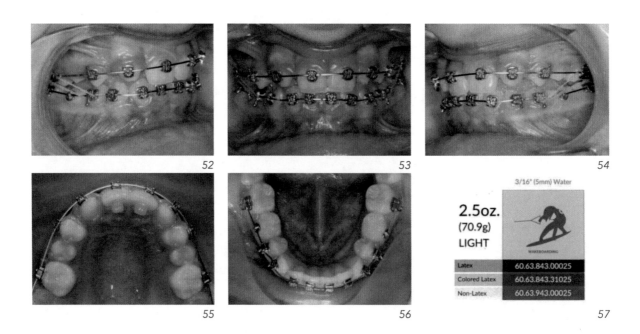

52　　　*53*　　　*54*

55　　　*56*　　　*57*

4. PRIMEROS RECORTES GINGIVALES Y CAMBIOS DE MORFOLOGÍA DENTARIA EN 4.3.1|1.3.4

Algo más avanzado el tratamiento se pudieron involucrar los segundos premolares superiores y también se realizó un pequeño recorte gingival en caninos e incisivos centrales.

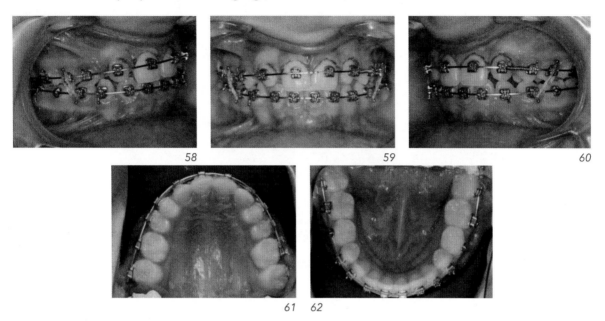

58   59   60

61   62

También es observable la intención de mesialamiento del canino superior izquierdo con resorte Niti de espiras abiertas entre dicha pieza y el 24 (que sería 23 en el futuro esquema oclusal). *(Figs. 58 a 62)*

En las series siguientes se muestran la utilización de arcos *Niti* .020 x .020 Pitts Broad en el maxilar superior y .018 x .018 *Niti Ultra Soft* en el inferior. *(Figs. 63 a 66)*

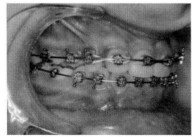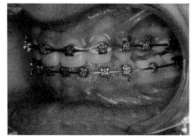

63   64

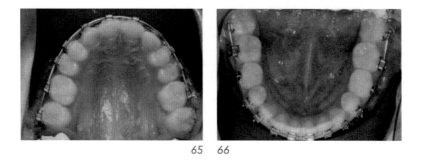

65 66

En las fotografías 67 a 70 se aprecian las Rx finales con el mantenimiento del buen torque incisivo superior.

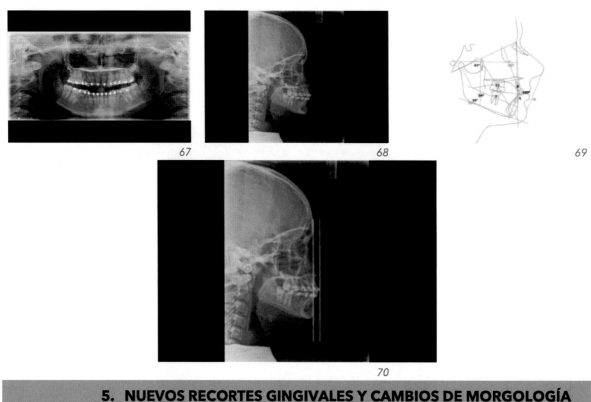

67   68   69

70

5. NUEVOS RECORTES GINGIVALES Y CAMBIOS DE MORGOLOGÍA DENTARIA

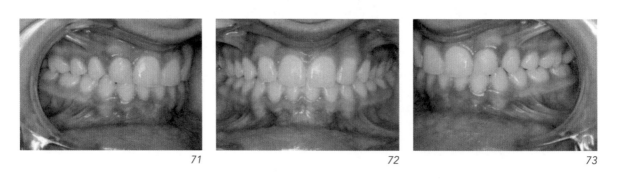

71   72   73

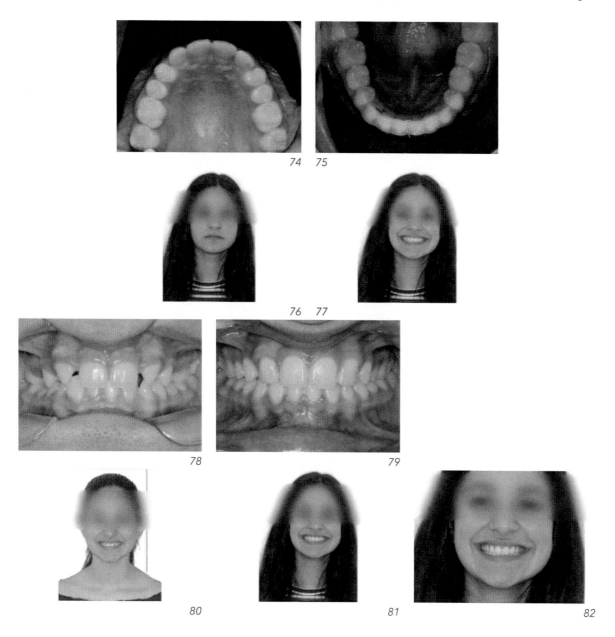

74   75

76   77

78   79

80   81   82

SECCIóN 4

TIEMPO Y ESPACIO DE LOS 3os. MOLARES

Sección 4
Tiempo y espacio de los 3os. Molares
Capítulo 11
Introducción

Puedes pedirme cualquier cosa que quieras, excepto tiempo.
Napoleón Bonaparte (1769-1840)
Militar, estadista Francés.

Los ortodoncistas somos propensos a evaluar cuidadosamente el exceso y más aún el déficit de espacio en los sectores anteriores de ambas arcadas, esta sección, sin embargo, pretende presentar una pequeña introducción en donde la evaluación de los espacios en los sectores posteriores es determinante en la planificación o el postratamiento de los 2 casos que se expondrán.

Citaremos especialmente algunas investigaciones, de las múltiples que se han publicado, relativas a terceros molares, referidas a su desarrollo, trayectoria eruptiva y factores que pueden incidir tanto en el tiempo como en el espacio necesario para su correcto posicionamiento en las arcadas, así como la controversia sobre la incidencia de estas piezas en las malposiciones dentarias anteriores.

Las características del libro impiden una exposición detallada de estos estudios y simplemente los agruparemos en un sector de investigadores que han sostenido la culpabilidad de los terceros molares en los problemas antes citados y otro núcleo de ellos que niegan la «pressure from behind theory» como factor desencadenante de las malposiciones tardías en sectores incisivos.

Presentaremos en primera instancia como se relacionan espacio y tiempo en las zonas a distal de los segundos molares. *(Fig 1)*

1. AGENESIAS	
2. EVOLUCIÓN EN EL TIEMPO Y ESPACIO	
3. ESPACIO NECESARIO	**¿EXTRACCIONES POR ESTABILIDAD?**
4. INCIDENCIA EN MALPOSICIONES INCISIVAS	
5. FACTORES QUE MODIFICAN TIEMPO Y ESPACIO DE LOS TERCEROS MOLARES	
6. ¿EXTRACCIONES POR TRATAMIENTO?	

1

1. AGENESIAS

La agenesia dental es la ausencia de uno o más dientes, es una anomalía de desarrollo común en ambas denticiones, resultado de un trastorno de la lámina dental, que impide la formación del germen dental. Cualquier diente puede estar ausente. La dentición permanente es la más afectada. Las piezas más frecuentemente ausentes son los terceros molares, incisivos laterales superiores, y los segundos premolares inferiores.

Los terceros molares son los dientes que ocupan el octavo lugar a partir de la línea media dentaria de cada hemiarcada en la dentición permanente, y, generalmente, presentan alguna condición anómala como son: morfología radicular variable (Kuzekanani et al., 2012), problemas de erupción (Celikoglu et al., 2010; Chu et al., 2003; Hashemipour et al., 2013), ausencia congénita (Celikoglu et al., 2010; Mok & Ho, 1996; Silva Meza, 2003) y, en un menor porcentaje patologías asociadas (Celikoglu et al., 2010; Chu et al.). Dentro de estas condiciones la agenesia es un fenómeno común y su prevalencia varía.

Los investigadores sitúan el porcentaje de agenesias en un 10% aproximadamente. *(Figs 2 a 8)*

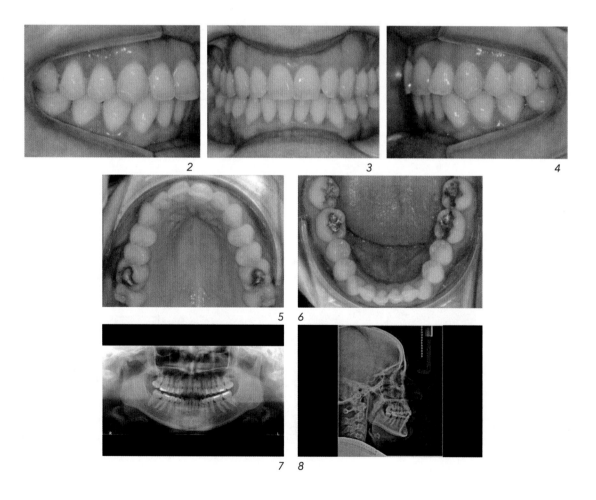

2   3   4

5   6

7   8

~ 202 ~

2. EVOLUCIÓN EN EL TIEMPO Y ESPACIO

En este y otros puntos seguiremos los estudios de la Dra. Margaret Richardson y Col (Belfast).

El desarrollo de los gérmenes puede comenzar, en los casos extremadamente precoces, a los 5 años y en otros, muy tardíos, a los 16, con el porcentaje máximo de probabilidades a los 9 años. La formación coronaria se completa entre los 12 y los 18 años, mientras que la radicular tiene lugar entre los 18 y 25.

La edad eruptiva promedio oscila entre los 20 y los 24 años, existiendo factores que pueden generar consecuencias tanto en el tiempo como en el espacio disponible para su erupción en boca.

La Dra. Richardson en su trabajo *"The Etiology and Prediction of mandibular third molar impactation"* (1977), investigó el desarrollo y trayectoria eruptiva de los terceros molares inferiores entre los 10 y 15 años de edad observando que el ángulo entre la superficie oclusal de dichas piezas dentarias y el plano mandibular decrecía promedialmente en 11°. *(Figs 9 a 13)*

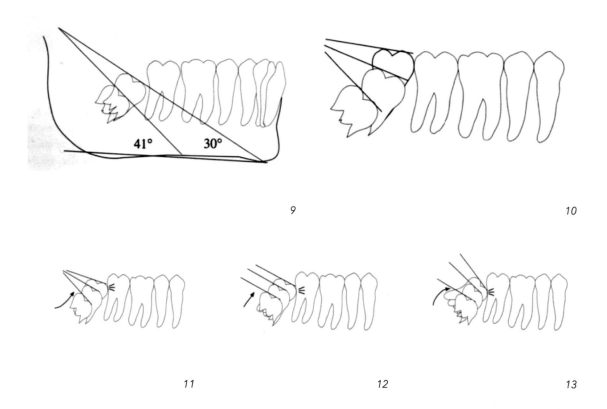

9   10

11   12   13

Existen, sin embargo, situaciones de impactamiento de los terceros molares producto de falta de espacio o cambios a veces impredecibles en su trayectoria eruptiva. *(Figs 14 y 15)*

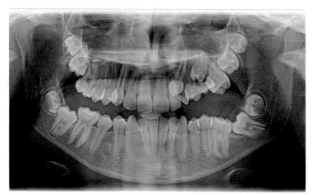
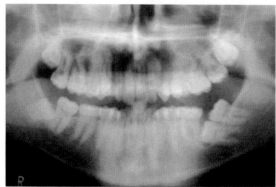

14 15

3. ESPACIO NECESARIO

Si bien las posibilidades de erupción de los cordales inferiores responden a causales múltiples, la principal variante es la existencia o no de un espacio suficiente; en este tópico han estado de acuerdo investigadores de la talla de los Dres. Bjork, Ricketts y Graber; entre otros.

Existe un interesante estudio del Dr. Patrick Turley (1974) considerando que un método útil en la evaluación del espacio disponible para la erupción de los terceros molares inferiores es la medición en la Rx lateral de la distancia entre el punto xi mandibular y distal de segundos molares inferiores.

En este trabajo se pretende establecer un método predictivo de erupción sobre radiografías panorámicas que permita tomar la decisión acertada.

Esta referencia es válida en adultos y agrupa los casos de terceros molares en: retenidos, erupcionado en buena oclusión y erupcionados en mal posición; las distancias promedio fueron de 21 mm para el primer grupo, 30 mm en el segundo y 25 mm en los de malposicionamiento. *(Figs 16 y 17)*

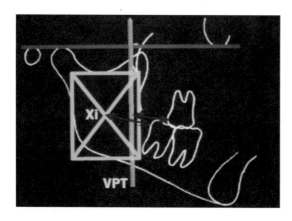
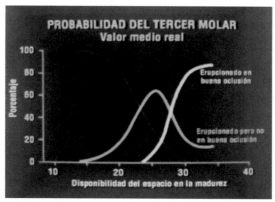

16 17

Reiteramos que este estudio fue realizado en adultos, de todos modos, pacientes «teen agers» que finalizan el tratamiento activo entre los 13 y 16 años tampoco tendrían en esa zona un incremento notable del espacio por crecimiento; por tanto, con distancias menores a 25 mm, son casi nulas las posibilidades de erupción y posicionamiento correcto de los terceros molares inferiores.

4. INCIDENCIA EN MALPOSICIONES INCISIVAS

Luego de advertida o prevista la impactación de los terceros molares inferiores es conocido que ellos pueden generar una serie de problemas odontológicos como atrapamiento de alimentos, problemas periodontales, pericoronaritis, interferencias oclusales, etc., pero lo controversial es si afectan o no la estabilidad del sector dentario incisivo superior y, especialmente el inferior.

No somos investigadores, simplemente exponemos referencias de trabajos con conclusiones opuestas de la incidencia o no que tendría el empuje postero-anterior de los terceros molares inferiores. *(Figs 18 a 23)*

Teoría de la «Presión posterior» - «Pressure from behind theory»			
Vego L. Longitudinal study of mandibular arch perimeter. *Angle Orthod 1962;32:187-92*	Bergstrom K, Jensen R. The significance of third molars in the aetiology of crowding. Trans Europ Soc 1960;36:84-96	Richardson ME. Late lower arch crowding in relation to primary crowding. Angle Orthod 1982;52:300-12	Richardson ME. Lower arch crowding in the young adult.Am J Orthod Dentofac Orthop 1992; 101:132-7
18	19	20	21

Grupo que no está de acuerdo en la incidencia de la «Presión posterior»	
Kaplan RG. Mandibular third molars and postretetion crowding. Am J Orthod 1974; 66:411-30	Sampson WJ, Richards LC, Leigthon BC. Third molar eruption patterns and mandibular dental arch crowding. Aust Orthod J 1983;8:10-20
22	23

Nuestra opinión (que <u>no</u> es investigación), es que existen evidencias conflictivas en este punto y que las causales de malposiciones inferiores difieren individualmente; incluso existen en arcadas con agenesias de terceros molares, pero no los excluye tampoco como factor o cofactor etiológico en pacientes que presenten dicho motivo de consulta en el pre o postratamiento.

No olvidemos 3 variables en nuestro concepto también importantes en la génesis de las malposiciones anterioinferiores.

a. En biotipos meso o braquifaciales el crecimiento remanente de la basal mandibular puede generar este problema.

b. Contactos deflectivos prematuros ecualizadores (vertientes mesiales superiores con distales inferiores) proyectan la mandíbula hacia un posicionamiento de confort oclusal más anterior con idénticos resultados que la situación «a»

c. La indicación de extracciones de terceros inferiores a la corta o a la larga, salvo excepciones (paciente 8), conlleva un efecto «dominó» de ir hacia igual proceder con los superiores que, al quedar sin antagonistas, se extruyen originando la causal «b» (contacto deflectivo ecualizador).

Hace bastantes años una paciente nos consultó por malposicones dentarias en ambas arcadas, pero especialmente notorias en la inferior.

En su historia relataba haber finalizado un tratamiento anterior a su entera satisfacción y la ortodoncista le recomendó la extracción de terceros molares.

Como se aprecia en los Rx panorámica sólo se le practicaron las inferiores y, como consecuencia, los superiores se extruyeron generando una deflexión mandibular anterior que también contribuyó a las malposiciones inferiores aunque se hubiesen extraído los cordales en esa arcada. *(Figs 24 a 37)*

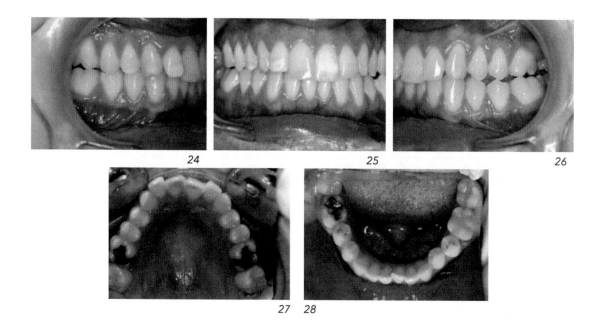

24   25   26

27 28

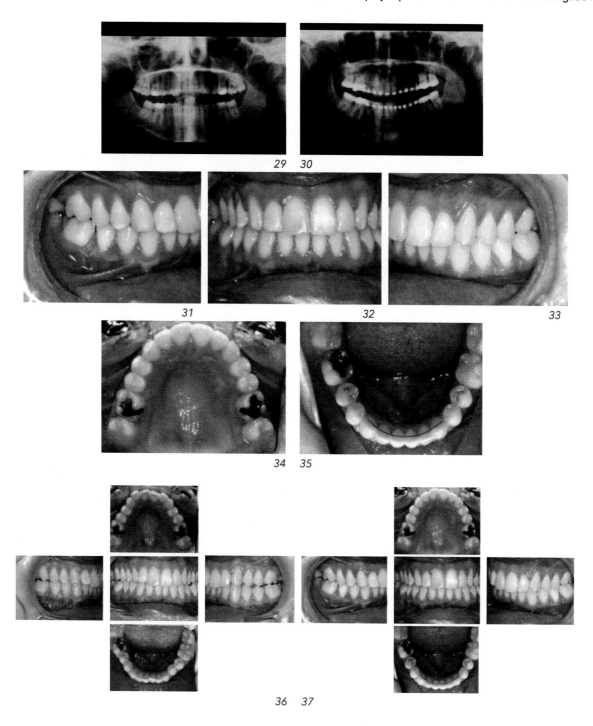

29 30

31   32   33

34 35

36 37

5. FACTORES QUE MODIFICAN TIEMPO Y ESPACIO DE LOS TERCEROS MOLARES

Hemos puntualizado, y es conocido por todos que la falta de espacio suficiente es un factor que afecta el tiempo y la erupción misma de los cordales inferiores.

Pero, a su vez, mencionaremos algunas variables que repercuten en el espacio y tiempo de erupción de los mismos. *(Fig 38)*

Incremento de espacio
a. Crecimiento
b. Extracción de premolares
c. Extracción de primeros o segundos molares

38

a. Crecimiento

En el crecimiento mandibular se produce un aumento del espacio disponible para los gérmenes de terceros inferiores, ello también sucede en maxilar superior. *(Fig 39)*

39

b. Extracción de premolares

La extracción de premolares con un cierre de espacios de anclaje medio genera, por consecuencia, un aumento variable de espacio para los terceros molares. *(Fig 40)*

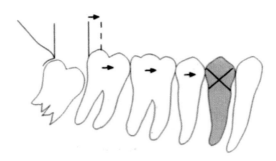

40

c. Extracción de primeros o segundos molares

En esta última variable las extracciones en sectores posteriores no solo aumentan el espacio, sino que aceleran notoriamente la cronología eruptiva promedio de los terceros; la falta de estas piezas posteriores, primeros o segundos molares pueden ser consecuencia de la historia odontológica de nuestra/o paciente o producto del plan de tratamiento que instauramos. *(Figs. 42 a 60)*

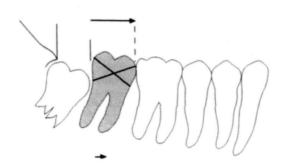

41

Paciente de 19 años con historia odontológica de extracción de 36 y 46 (1° molares inferiores).

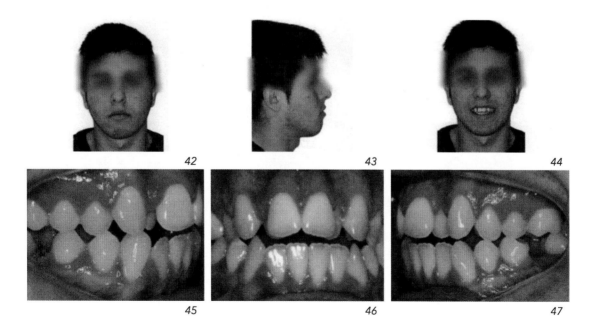

42   43   44

45   46   47

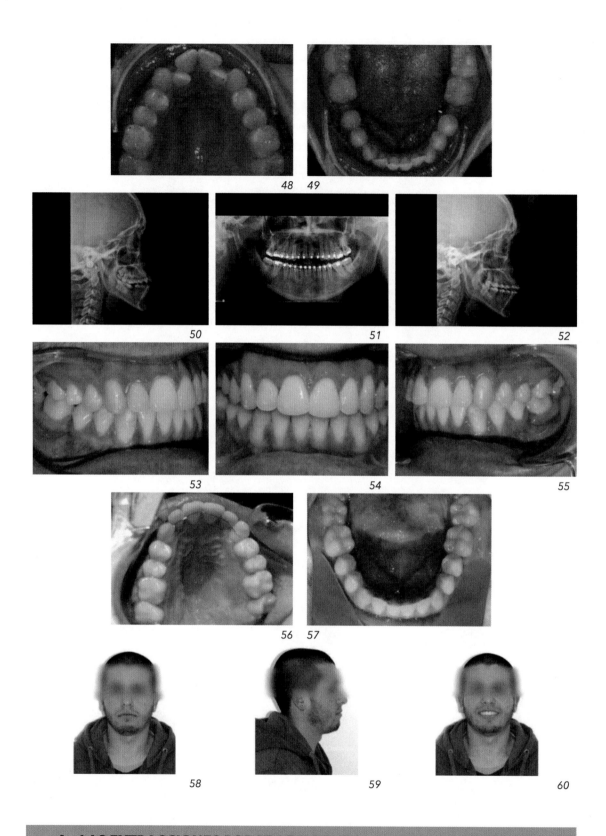

48 49

50 51 52

53 54 55

56 57

58 59 60

6. LAS EXTRACCIONES POR TRATAMIENTO

Presentaremos imágenes de un caso tratado ya hace algún tiempo y en el que se planificaron 2 fases; una de ellas a los 15 años, previéndose un pequeño detallado complementario al final del crecimiento del paciente.

El caso fue abordado ya hace algún tiempo con H4 (P.S.L. .022 x .026) y allí tanto el (P) plan de tratamiento como su ejecución (B) biomecánica involucraron la extracción de segundos molares inferiores que, con el tiempo serían sustituidos por la evolución de 2 buenos gérmenes de terceros.

La avulsión de 37 y 47 tuvo por objetivo facilitar la corrección vertical (mordida abierta anterior) y anteroposterior (clase III) del pretratamiento; dichas correcciones fueron realizadas con (B) biomecánicas simultáneas y sus protocolos.

Desde la foto 61 a la 130 observamos el comienzo, progresión y finalización de esta fase de tratamiento realizada a los 15 años de edad del paciente.

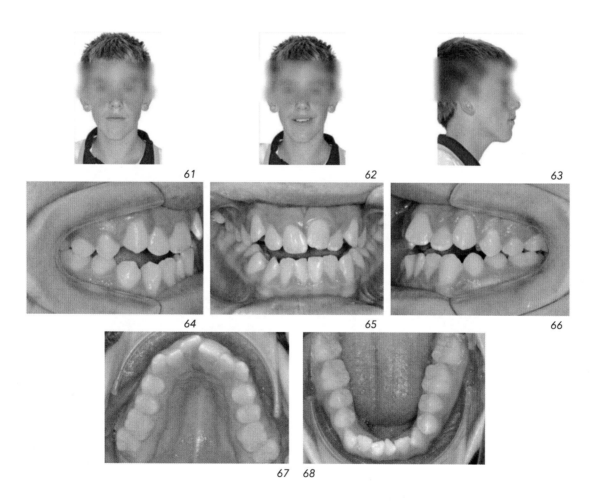

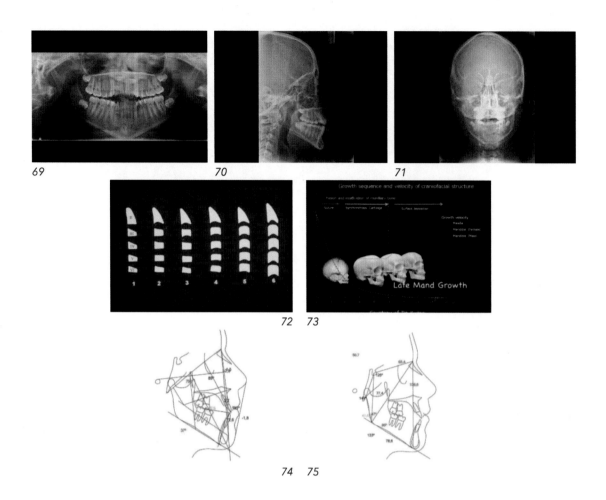

69   70   71

72   73

74   75

Las imágenes precedentes nos muestran en su edad Esqueletal un paciente comenzando un pico de crecimiento que será desfavorable a la corrección por divergencia basal y genética familiar mandibular.

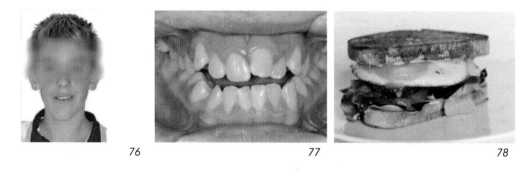

76   77   78

Estas 3 últimas figuras nos muestran los 2 grandes requerimientos del paciente en el tratamiento; mejorar estética dentaria, y poder "morder un sándwich" con sus dientes anteriores.

Se trató el caso como fue establecido, con protocolos de Biomecánicas Simultáneas.

La progresión de arcos está acorde a la ranura rectangular (.022 x .026) de los brackets y tubos H4.

Actualmente con Pitts 21 hemos disminuido aún más el tiempo tratamiento y aumentado el control 3D de las piezas dentarias con su slot cuadrangular (.021 x.021 en sector anterior de 3-3) y arcos también cuadrangulares. *(Fig. 80)*

BIOMECÁNICAS SIMULTÁNEAS

80

– Baja fricción
– Elásticos inmediatos
– Desoclusiones posteriores
– Alineados nivelados

– Arco Sonrisa (S.A.P)
– Exposición vertical (V.I.D)
– Desarrollo de los arcos

82

– Corrección transversal
– Corrección vertical
– Corrección anteroposterior

83

– Reeducación lingual (Recordadores linguales + ejercicios de «lifting» lingual

84

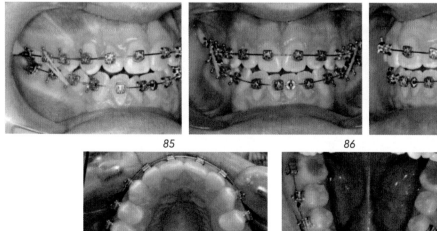

85   *86*   *87*

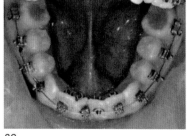

88   89

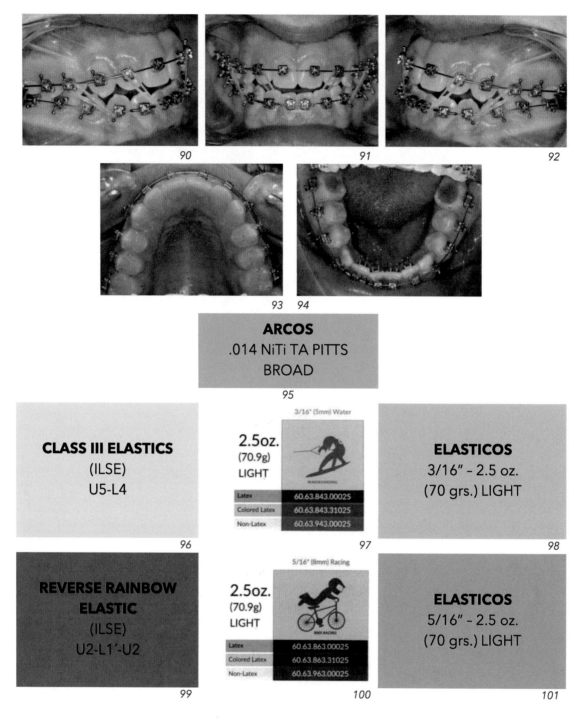

90

91

92

93   94

ARCOS
.014 NiTi TA PITTS
BROAD

95

CLASS III ELASTICS
(ILSE)
U5-L4

96

3/16" (5mm) Water

2.5oz.
(70.9g)
LIGHT

Latex	60.63.843.00025
Colored Latex	60.63.843.31025
Non-Latex	60.63.943.00025

97

ELASTICOS
3/16" – 2.5 oz.
(70 grs.) LIGHT

98

**REVERSE RAINBOW
ELASTIC**
(ILSE)
U2-L1'-U2

99

5/16" (8mm) Racing

2.5oz.
(70.9g)
LIGHT

Latex	60.63.863.00025
Colored Latex	60.63.863.31025
Non-Latex	60.63.963.00025

100

ELASTICOS
5/16" – 2.5 oz.
(70 grs.) LIGHT

101

Fue la primera vez que utilizamos el arco .018 x .018 *Niti Ultra Soft Pitts Broad,* que hoy con el bracket Pitts21 tiene sus cualidades notoriamente potenciadas. *(Figs. 102 a 104)*

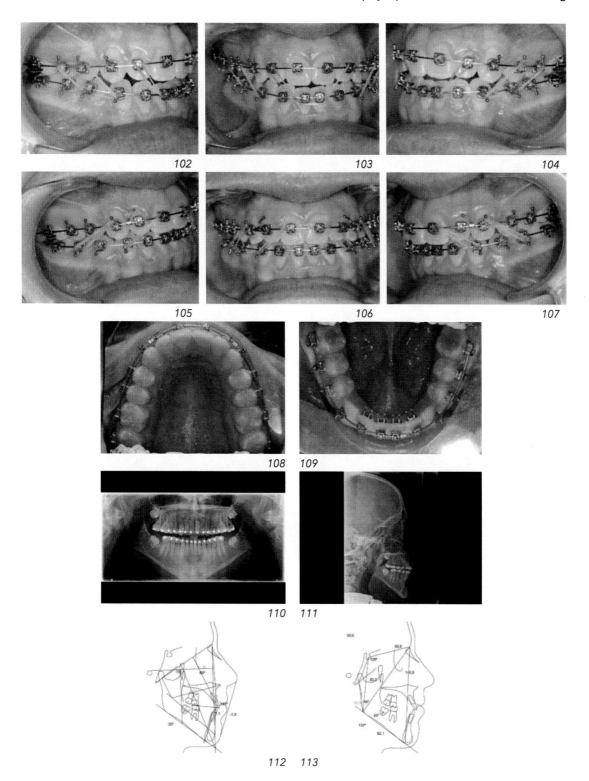

102   103   104

105   106   107

108   109

110   111

112   113

Previo pasaje por *Niti* .016 x 25 y .018 x.025 *Pitts Broad* se utilizaron arcos Beta Titanio .018 x .025. *(Figs. 105 a 109)*

En las figuras 110 a 128 se muestran imágenes de Rx, bucales y faciales al finalizar este tratamiento que, repetimos, tendrá un ajuste 4 años después al finalizar el crecimiento del paciente.

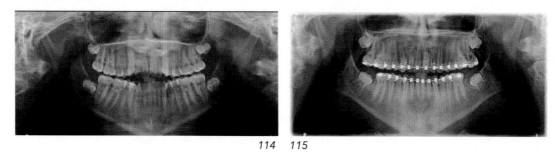

114   115

Los grandes objetivos fueron satisfacer sus requerimientos y tratar de cambiar su epigenética.

Las influencias genéticas en el desarrollo de la maloclusión clase III, incluyen efectos hereditarios tanto en los músculos masticatorios como en la morfología esquelética del maxilar inferior. Sin embargo, más allá de las variaciones genéticas, las características de los músculos y los huesos también están influenciadas por mecanismos epigenéticos que producen diferencias en la expresión genética. (Huh A, Horton MJ, Cuenco KT, et al. Epigenetic influence of KAT6B and HDAC4 in the development of skeletal malocclusion).

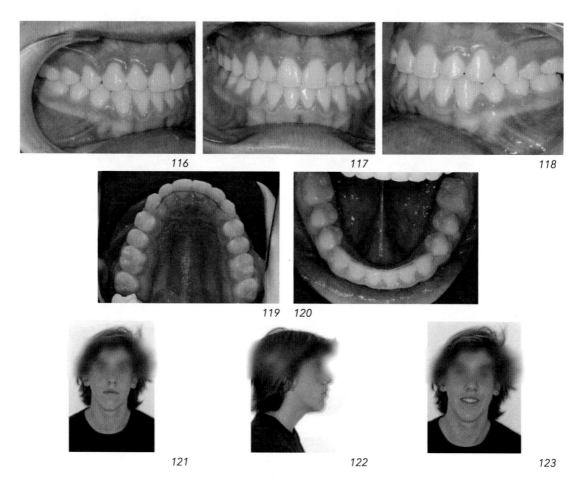

116   117   118

119   120

121   122   123

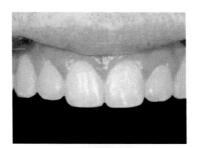

124

125

126

1 AÑO DESPUÉS... 127

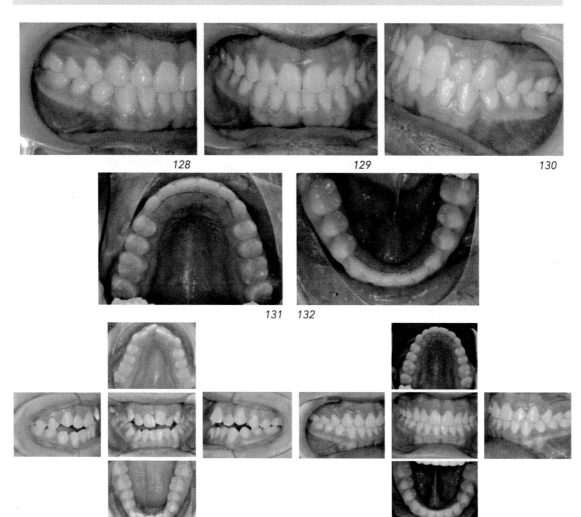

128   129   130

131   132

133   134

En las 4 figuras siguientes se observa la evolución de los gérmenes de terceros molares desde el pretratamiento, fin de tratamiento activo, 1 año y 3 años después respectivamente.

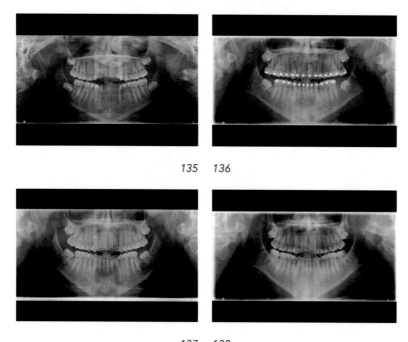

135   136

137   138

Más allá de este último caso conviene retrotraerse a que existen extracciones de terceros molares que son parte misma del (P) plan y casi de (B) biomecánica en los tratamientos como ocurre en mordidas abiertas de pacientes divergentes. *Ver pacientes 4 y 8*

No te rindas,
aún estás a tiempo
de alcanzar y
comenzar de nuevo,
aceptar tus sombras,
enterrar tus miedos,
liberar el lastre,
retomar el vuelo.

Mario Benedetti (1920-2009)
Escritor y poeta uruguayo.

Sección 4
Tiempo y espacio de los 3os. Molares
Capítulo 12
Paciente 7

Malgasté el tiempo; ahora el tiempo me malgasta a mi.
William Shaquespeare (1564-1616)
Dramaturgo, poeta y actor inglés.

Existen casos que perfectamente pueden ubicarse en cualquiera de las secciones anteriores ya que tienen vínculos con la Estética, las Biomecánicas Simultáneas, las Asimetrías, los Terceros Molares, el Tiempo y el Espacio.

Así fue el caso de una paciente que merece estar en este libro porque creyó en nosotros, porque colaboró enormemente en el tratamiento que fue multidisciplinario y porque la historia tuvo un final feliz.

Hace unos años nos encontrábamos en nuestra consulta cuando llegó una nueva paciente…. 14 años apenas. Ella era delgada, pelo negro, una adolescente común y corriente... Pero lo que más nos atrajo la atención era que le daba miedo sonreír. No le gustaba, lo evitaba totalmente.

Los requerimientos fundamentales de tratamiento de esta paciente de 14 años estaban relacionados con la estética de sus piezas dentarias superiores.

Otra gran inquietud radicaba en que, por la existencia de un defecto óseo en el sector interincisivo medio del maxilar superior, le habían denegado la posibilidad de ortodoncia, más allá de una sugerencia de extracción de 14 y 24 en caso de poder llevar a cabo el tratamiento.

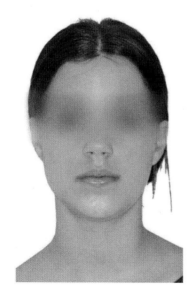 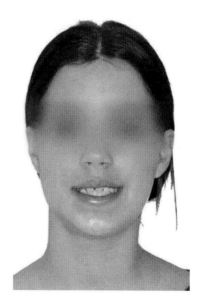

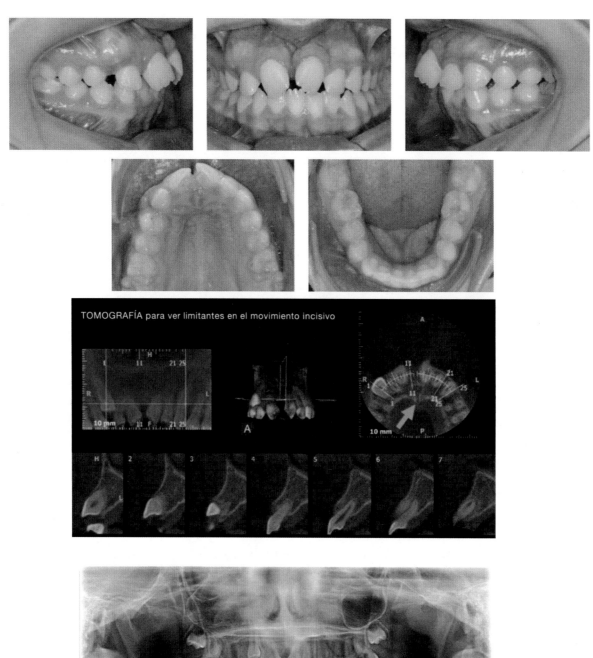

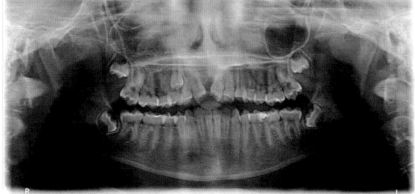

Luego de expuestas las fotografías extra e intraorales así también las radiografía Panorámica y su Tomografía Computada, comenzaremos a implementar y describir paso a paso "nuestro método DPVB"

Comenzando por el DIAGNOSTICO:

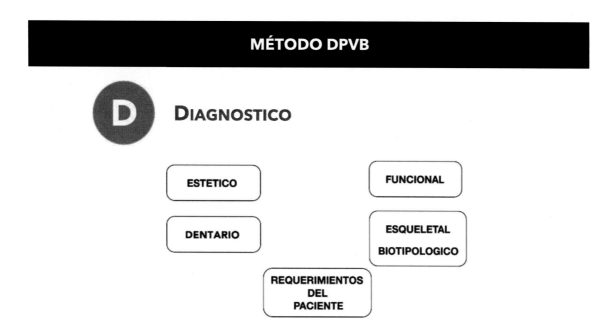

Desde el punto de vista del diagnóstico, vamos a tener en cuenta 6 factores:

- **ESTÉTICO**

- **DENTARIO**

- **FUNCIONAL**

- **ESQUELETAL / BIOTIPOLóGICO**

- **REQUERIMIENTOS DEL PACIENTE**

Análisis estético y requerimientos del paciente

De estos factores de diagnóstico, como mencionábamos al comenzar este capítulo, 9 de cada 10 pacientes tendrán como requerimiento principal su estética. El Dr. Sarver realiza una clasificación del análisis estético y lo divide en 3:

- **MACROESTÉTICA**
- **MINIESTÉTICA**
- **MICROESTÉTICA**

Para fines prácticos y para continuar simplificando la clínica diaria, te recomendamos que dicho diagnóstico lo elabores de una manera visual como lo realiza el Dr. Dwight Frey mediante la asignación de colores (visualización diagnóstica) y NO mediante números ni valores cefalométricos que luego podrán serte difíciles de recordar.

- Como mencionábamos en la primera sección del libro

El Dr. Dwight Frey realiza esta valoración en 3 colores a la cual nosotros le sumamos el color amarillo, considerando el factor tiempo como determinante para ciertas modificaciones.

VISUALIZACIóN DIAGNOSTICA BASADA EN 4 COLORES

CORRECTO	EXCESO	DEFICIT	CAMBIOS
Verde (correct)	Rojo (exceso)	Azul (déficit)	Amarillo (cambio)
(NO MODIFICAR)	(MODIFICAR)	(MODIFICAR)	(TIEMPO MODIFICARÁ)

MACROESTÉTICA

- PROPORCIONES VERTICALES
- PROPORCIONES HORIZONTALES
- CIERRE LABIAL

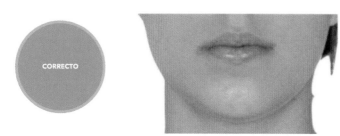

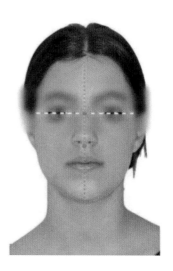

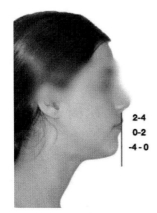

- ÁNGULO NASO LABIAL ANGLE

- PROYECCIó N NASAL (TIP NASAL)

- PERFIL

2-4
0-2
-4 - 0

En la **MACROESTÉTICA**, hay que tener en cuenta lo siguiente en la vista frontal:

- PROPORCIONES VERTICALES.

- PROPORCIONES HORIZONTALES.

- CIERRE LABIAL ANTERIOR

Por otro lado, hay que tener en cuenta lo siguiente *en la vista lateral o de perfil:*

- Ángulo naso-labial.

- Ángulo Mento-labial.

- Proyección nasal (*Tip* nasal).

- Proyección de labio superior, labio inferior y mentón. Proporciones estéticas ideales en el adulto y con respecto a la línea vertical proyectada de subnasal.

Tomando en cuenta todos esto para la simplificación clínica y su eventual visualización diagnóstica, le asignaremos el color verde que significa "**NO MODIFICAR**" ya que está correcto.

SUPERPOSICIóN DIGITAL DE MITADES

Esta superposición digital de imágenes es simplemente realizada para fines prácticos y corroborar la SIMETRÍA FACIAL

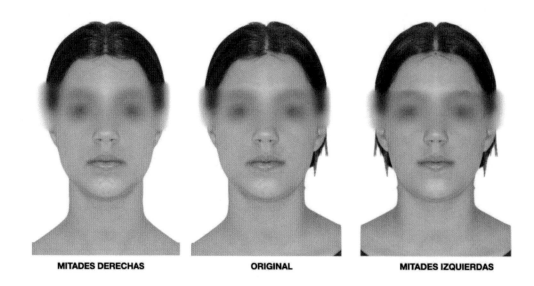

MITADES DERECHAS   **ORIGINAL**   **MITADES IZQUIERDAS**

MINIESTÉTICA

- VISUALIZACIóN DE INCISIVOS

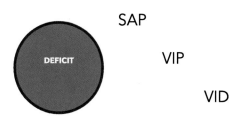

SAP

VIP

VID

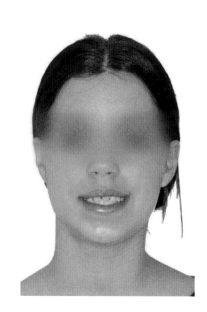

- CORREDORES BUCALES

- EXPOSICIóN INCISIVA

- ALTURA DE LA SONRISA

En la **MINIESTÉTICA**, hay que tener en cuenta lo siguiente:

- VISUALIZACIóN DE INCISIVOS Y LO QUE RESPECTA AL SAP, VIP Y VID (EN SUS SIGLAS EN INGLES).

- LÍNEA MEDIA CON RESPECTO A LA CARA.

- CORREDORES BUCALES.

- EXPOSICIóN GINGIVAL.

- ALTURA DE LA SONRISA.

Vemos que la mayoría de los aspectos relativos a la miniestética están en déficit y le asignamos el color **AZUL** (MODIFICAR).

Visualización de Incisivos en **AZUL** tomando en cuenta el **"hoy"** de la paciente y que existen cambios por la edad que agravarían la situación como se observa en el cuadro.

EXPOSICION DENTAL PROMEDIO EN POSICION DE DESCANSO (MM)[7]		
	Incisivo central maxilar	Incisivo central mandibular
Menos de 30	3.4	0.5
30 - 40	1.6	0.8
40 - 50	1.0	2.0
50 - 60	0.5	2.5
Más de 60	0.0	3.0

En suma el *SAP* (**S**mile **A**rc **P**rotection), *VIP* (**V**ertical **I**ncisor **P**osition) y *VID* (**V**ertical **I**ncisor **D**isplay) que juegan un papel fundamental en la Miniestética estaban en déficit.

MICROESTÉTICAS

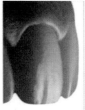

INDIVIDUAL

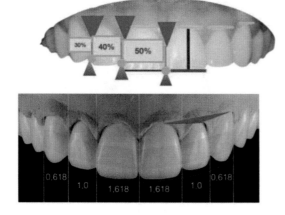

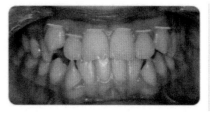

CONJUNTO

- FACTORES RELACIONADOS
- ANÁLISIS DENTAL

Cuando analizamos la **MICROESTÉTICA**, hay que considerar que es una valoración y un análisis dental tanto individual como en conjunto.

- En este punto serán importantes todos los factores relacionados a MANTENER o MODIFICAR proporciones de estética blanca (diente) como de estética rosa (gingiva).

- Aquí claramente vemos un **DÉFICIT** en ese aspecto...

ANÁLISIS DENTARIO

En la vista frontal observamos una estrechez dentoalveolar, provocada por un desequilibrio funcional, tanto de la arcada superior como de la arcada inferior, formándose en la zona dentoalveolar lo que llamamos RELOJ DE ARENA.

También vemos cierta proinclinación anterior.

Se observa una **asimetría dentaria,** con desvío de la línea media superior hacia la derecha producto de la retención de la pieza 1.3.

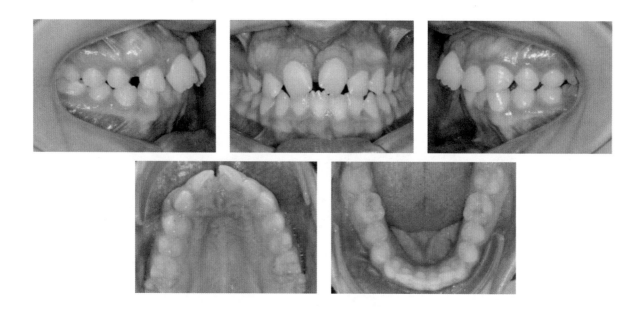

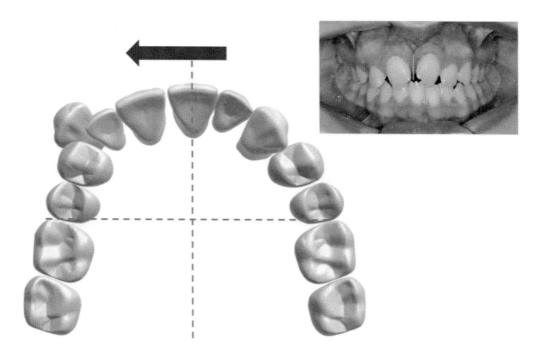

Las retenciones dentarias, según Peterson [1], más frecuentes son la de los terceros molares y caninos permanentes.

Tercer molar inferior	35%
Canino superior	34%
Tercer molar superior	9 %
Segundo premolar inf.	5 %
Canino inferior	4 %
Inc. Cent. Inf.	4 %
Segundo premolar sup.	3 %
Primer premolar inf.	2 %
Inc. Lat. superior	1.5%

[1] *Peterson L J 1998. Principles of management of impacted teeth. In Peterson L J, Ellis E, Hupp J R, Tucker M R (eds) Contemporary oral and maxillofacial surgery. Mosby, St. Louis, pp. 215-248.*

En la vista lateral se muestra un relacionamiento Clase II canina.

Las vistas oclusales superior e inferior demuestran por un lado la discrepancia negativa en ambas arcadas y por otro la asimetría dentaria con bloqueo de la pieza 1.3.

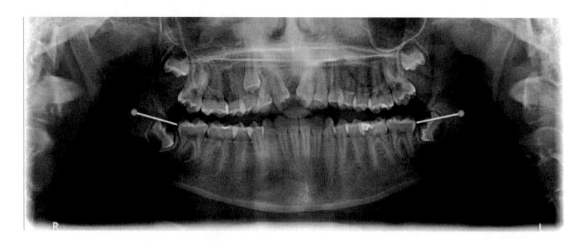

• Punto Xi

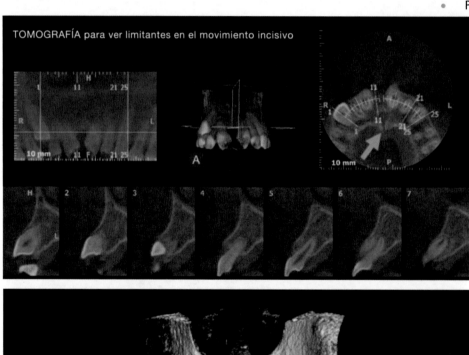

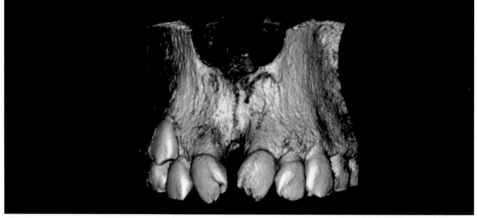

Analizando la Rx Panorámica y Tomografía observamos:

- Retención de la pieza 1.3

- La existencia de un defecto óseo en el sector interincisivo medio del maxilar superior era un factor a tener muy en cuenta en la planificación, ejecución, estabilidad y salud del movimiento dentario a efectuar.

- Terceros molares inferiores SIN ESPACIO para la correcta erupción (distancia de cara distal a Xi de 22mm)

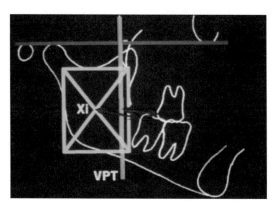 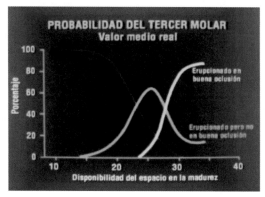

PLANIFICACIóN Y VEHÍCULOS (PV)

Los factores enumerados anteriormente, así como su estética facial nos hacían descartar de plano la extracción de Premolares superiores como parte del Plan de Tratamiento.

Es aquí donde nos hacemos la gran pregunta: "¿El diente se mueve CON el hueso o A TRAVÉS del hueso?"

En todo momento, se tuvo en cuenta que el tratamiento sería multidisciplinario, debido al defecto óseo ya mencionado y al hecho de que era esencial actuar con fuerzas biológicamente aptas y suaves que, a la vez, lograran el desarrollo de los arcos, buena corrección rotacional y expresión de torque con el objetivo de **mover las piezas dentarias con el hueso y no a través del hueso.**

Optamos como Vehículo terapéutico autoligado pasivo, al principio con bracket H4(slot 0.22 x .026") y a los 4 meses se cambiaron a Pitts21(slot .021 x .021") los brackets en el sector anterosuperior y anteroinferior.

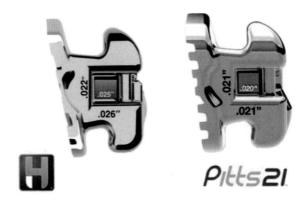

BIOMECÁNICAS SIMULTÁNEAS

La parte de Biomecánica en el tratamiento la realizamos SIEMPRE teniendo en cuenta estos conceptos de Biomecánicas simultáneas *(ver sección 2).*

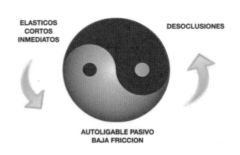

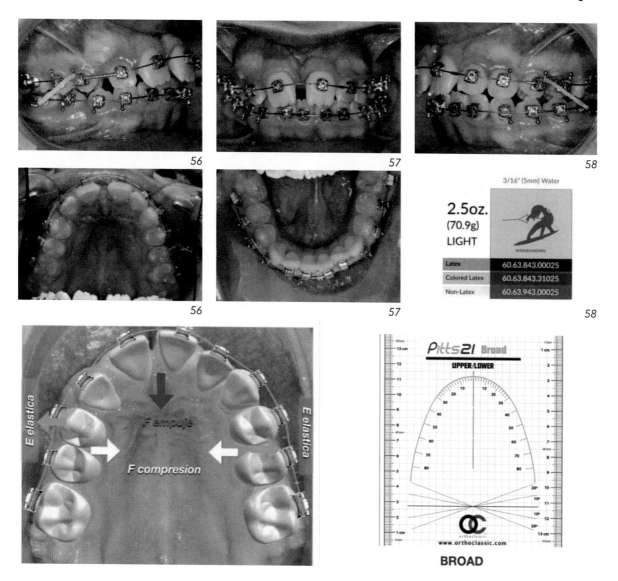

EL DESARROLLO TRANSVERSAL CON ARCOS BROAD PITTS
ES CLAVE PARA LA CORRECCIóN ANTERIOR

También se emplearon elásticos cortos inmediatos clase II 3/16" de diámetro y 2,5 oz de fuerza.

En este caso las desoclusiones perseguirían los siguientes objetivo:

OBJETIVOS	• POTENCIAR ACCIóN DE LOS ARCOS (INTRA ARCADA)
	• POTENCIAR ACCIóN DE LOS ELÁSTICOS (INTER ARCADA)
	• CONTROL SELECTIVO VERTICAL (MORDIDA ABIERTA - MORDIDA CUBIERTA)

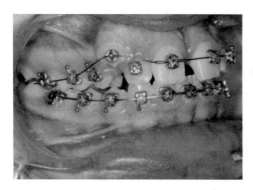 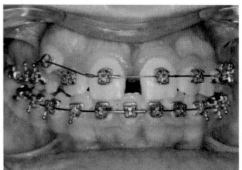

Con el arco .014" NiTi Broad Pitts y NO involucrándolo en todas las piezas aumentamos la distancia interbracket y bajamos la relación carga-deflexión para NO provocar el Binding anterior.

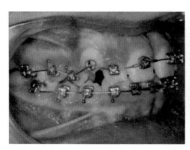 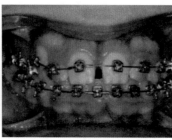 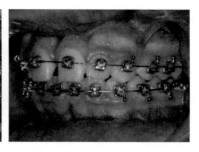

El arco .014" NiTi Pitts Broad fue enhebrado ahora sí tomando todas las piezas dentarias cuando el ángulo de incidencia no era tal como para provocar el Binding.

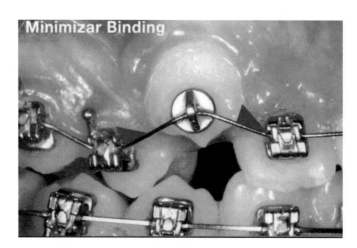

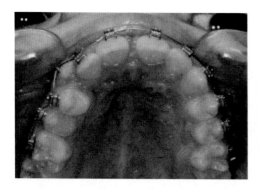 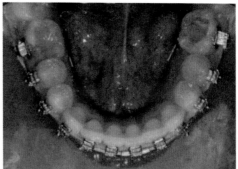

Luego, se realizaron los precitados cambios de brackets a Pitts21 que con su asociación a arcos cuadrados nos permite un control 3D (TIP TORQUE y ROTACION) de las piezas dentarias y una disminución del 30-40% en las fuerzas ejercida en ellas.

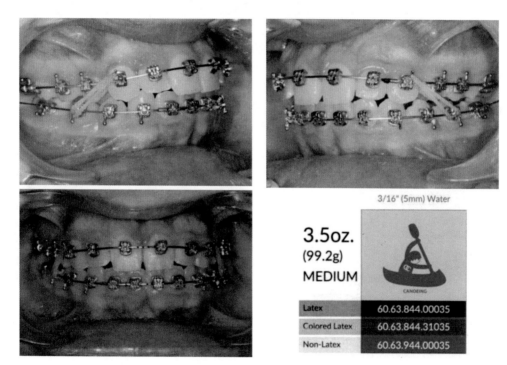

Dos meses después, se instalaron .020 x .020" NiTi Pitts Broad y los elásticos pasaron a ser de 3.5 oz.

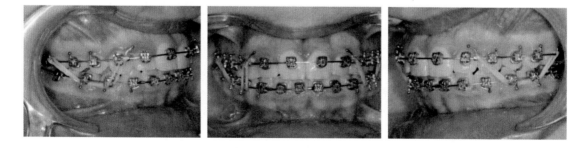

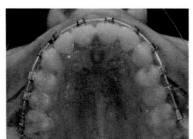
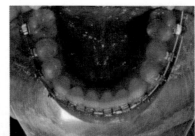

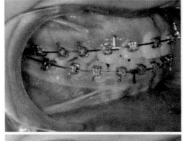
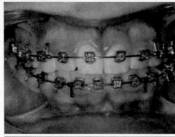

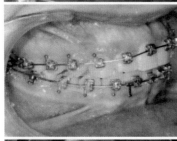
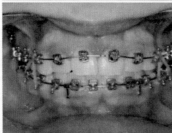
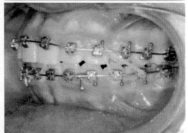

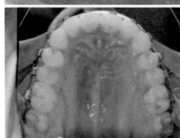
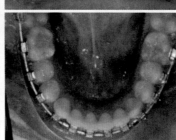
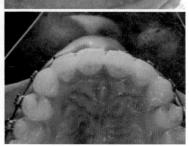

Pitts21

Pitts 21 Full Sequence

⌒ .014 TA NiTi Pitts Broad

⌒ 18x18 TA NiTi UltraSoft Pitts Broad
(starting point if crowding is mild)

⌒ 20x20 TA NiTi Pitts Broad

⌒ 20x20 TA NiTi Ultrasoft Pitts Broad
(optional after Repo Appt)

⌒ 20x20 BT Pitts Broad

⌒ Optional 19x19 SS Pitts Broad for Extraction cases
Optional 20x20 SS for Extra Width

Luego, se utilizaron arcos .019 x .019" acero de forma individualizada e intercoordinada.

Por lo tanto hasta ahora nuestra secuencia de arcos en Pitts21 fue la siguiente, teniendo en cuenta que el .014" NiTi Broad Pitt fue el primer arco y utilizado en el Bracket H4.

En detalles finales, se recomendaron los brackets en los incisivos superiores para mejorar el S.A.P. (arco de la sonrisa) y la V.I.D. (exposición incisiva vertical). Para ello, se volvieron a utilizar arcos .0.18 x .018" NiTi Ultra Soft y, 40 días más tarde, .020 x .020" NiTi Broad Pitts.

Realizados estos movimientos, el Dr. Walter Ferro (Cirujano maxilar) realizó injerto óseo y membrana en el sector inter incisivo superior.

Se mantuvieron los arcos y brackets absolutamente sin cambios y se esperó 5 meses para la regeneración ósea de la zona, que es apreciable en la Rx panorámica.

REGENERACIóN TISULAR GUIADA PARA ESTABILIDAD POST TRATAMIENTO

Hueso sintético de origen bovino   Membrana reabsorbible de colágeno

POST TRATAMIENTO

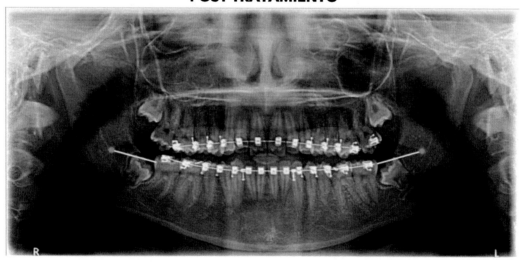

Esta Rx Panorámica final también nos reafirma lo que habíamos diagnosticado en la Rx inicial sobre la posición de los terceros molares inferiores, las medidas nos mostraban, que ellos estaban SIN ESPACIO para una correcta erupción (de cara distal de molar 7 al punto Xi 22 mm).

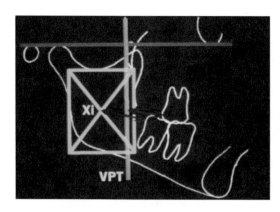

PROBABILIDAD DEL TERCER MOLAR
Valor medio real

| | **PRE TRATAMIENTO** | **POST TRATAMIENTO** |

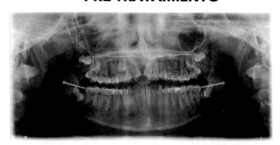
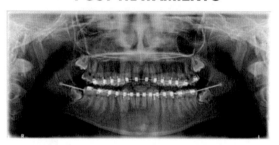

- Punto Xi

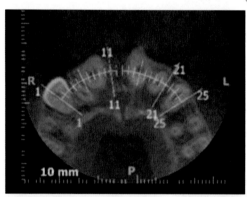
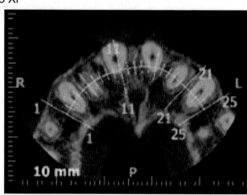

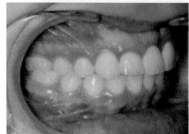
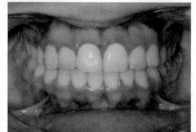
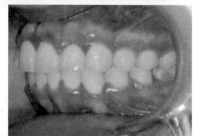

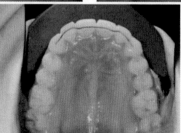
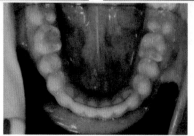

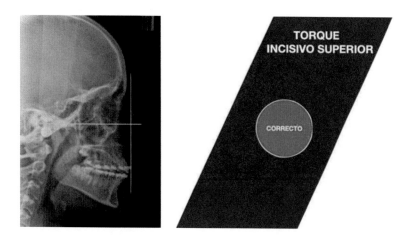

Observamos en la Rx Lateral el correcto torque final de la paciente.

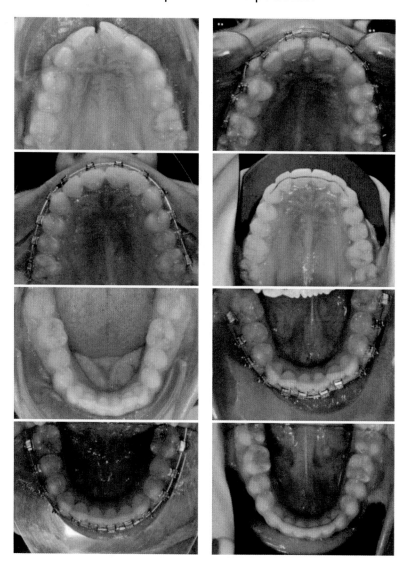

Comparativo del desarrollo de los arcos superior e inferior en la progresión de arcos.

MICROESTÉTICA

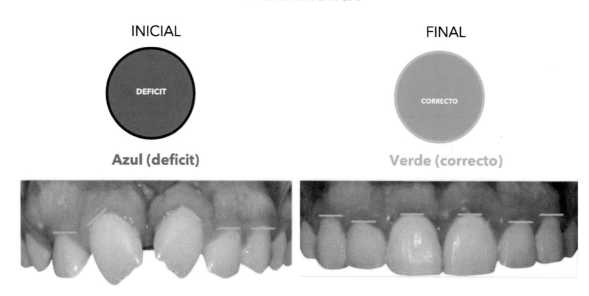

INICIAL

DEFICIT

Azul (deficit)

FINAL

CORRECTO

Verde (correcto)

COMPARATIVA DE MICROESTÉTICA

MINIESTÉTICA

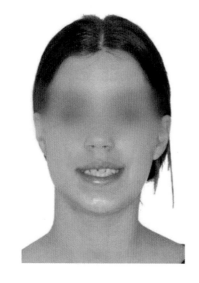 

COMPARATIVA DE MICROESTÉTICA

Sección 4
Tiempo y espacio de los 3os. Molares
Capítulo 13
Paciente 8

Muchos casos que se presentan en una consulta tienen, entre sí, semejanzas, pero sobre todo variantes que los hacen únicos.

Nadie es como otro, ni mejor ni peor, es otro,
y si dos están de acuerdo es por un malentendido.
Jean Paul Sartre (1905-1980)
Escritor y filósofo existencialista.

Este paciente 8 tiene similitudes con casos expuestos en la segunda y tercera sección, pero, a la vez, ciertas particularidades que justifican su análisis y, sobremanera, la **B** Biomecánica utilizada.

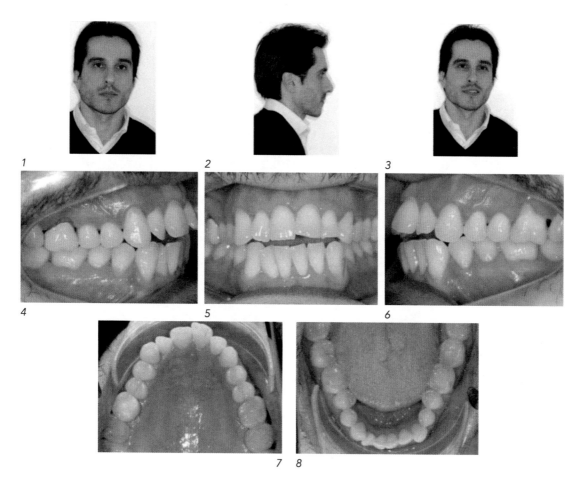

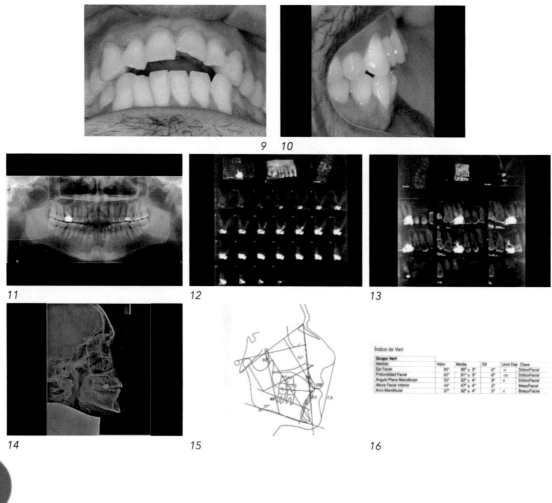

9   10

11   12   13

14   15   16

![D] **DIAGNóSTICO**

Desde las figuras 1 a 16 exponemos las principales imágenes del pretratamiento para luego particularizar en algunas de ellas.

Las malposiciones incisivas, sobremanera las superiores, (miniestética) conjuntamente con problemas funcionales oclusales relacionadas a dificultades en el corte de alimentos en el sector anterior eran los motivos de consulta; dentro de sus requerimientos no señaló el factor tiempo-duración del tratamiento. *(Figs 17 y 18)*

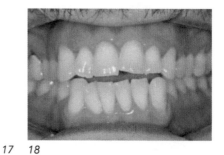

17   18

Analizando la relación macroestética-biotipo, advertimos, en los tercios faciales, un cierto predominio del inferior sobre el tercio medio coherente con una tendencia rotacional posterior (dólico suave) en lo biotipológico. *(Figs 19 a 22)*

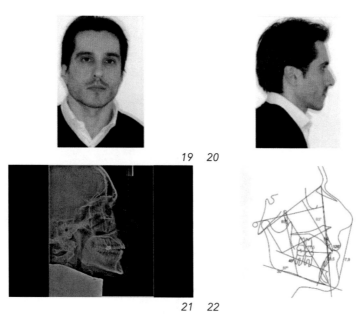

19   20

21   22

En el área dentaria existían elementos fundamentales para diseñar el Plan de tratamiento; oclusalmente se presentaba una mala coordinación transversal interarcada con mordida abierta y malposiciones anteriores que generaban, repetimos, una sonrisa de curva inversa. Anteroposteriormente existía un relacionamiento de Clase I con presencia de terceros molares en boca, y tanto clínica como radiográficamente se constataban importantes claudicaciones periodontales, especialmente en los sectores incisivo-caninos inferiores y del primer molar superior izquierdo. *(Figs 23 a 29)*

La pieza 16 ofrecía, según su odontólogo tratante, posibilidades casi nulas de tratamiento exitoso para su permanencia en boca.

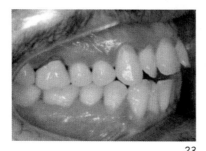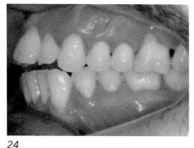

23   24

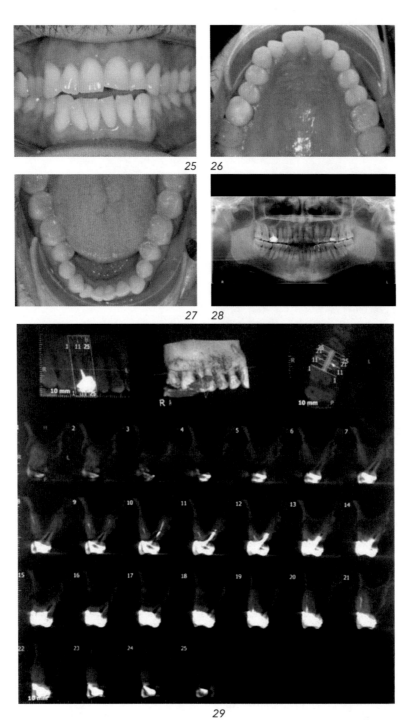

25 26

27 28

29

PLAN DE TRATAMIENTO (PV)

Al diseñar el ⓟ plan de tratamiento vamos a partir del supuesto que la pieza 16 estuviese en buena condición de salud. En ese teórico escenario indicaríamos la extracción de los 4 terceros molares al ser un caso de paciente divergente (dólico) de mordida abierta anterior.

A esa primer decisión se sumarían, con biomecánicas simultáneas, Pitts 21 (P.S.L), elásticos (I.L.S.E) anteriores, desoclusiones posteriores, adecuada progresión de arcos, diseño de arco de sonrisa (S.A.P), facilitar una correcta exposición vertical de incisivos superiores (V.I.P) y la indicación de ejercitación neuromuscular; se estimaba que la duración del tratamiento activo oscilaría entre 8 a 9 meses.

Pero los casos son como son y el primer molar superior derecho estaba condenado a su extracción por lo que planteamos al paciente 2 opciones diferentes.

1) Extracción de cordales y de 16, ubicándose un implante en ese sitio. Duración de tratamiento 8 a 9 meses.

2) Extracción de 28 – 38 – 48 y 16, cierre de espacios con biomecánica de anclaje mínimo en donde el 2° y el 3° molar del cuadrante superior derecho son mesializados y sustituyen al 1° y 2° molar respectivamente.

Este plan obviaba el implante, pero necesitaba aproximadamente 5 meses más de tratamiento activo. Aún con las precitadas biomecánicas simultáneas.

El paciente 8 eligió, en nuestro concepto acertadamente, esta última opción. *(Fig. 30)*

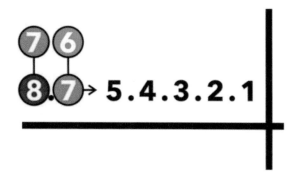

30

VEHÍCULOS (PV)

Como **V** vehículos iban a ser utilizados Pitts 21 acompañado de desoclusiones posteriores, elásticos (I.L.S.E) inmediatos anteriores, adecuada progresión de arcos, resorte Niti de espiras cerradas con ojaletes y recordadores linguales. *(Fig. 31 A 38)*

En **B** biomecánica examinaremos los tubos utilizados en las piezas 18 y 17.

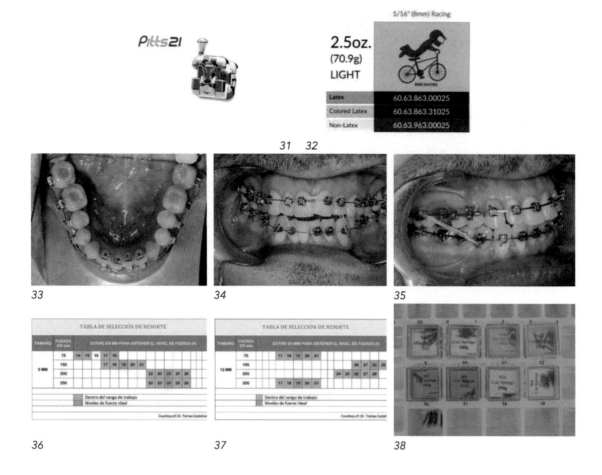

33   34   35

36   37   38

BIOMECÁNICAS SIMULTÁNEAS

Teniendo claro el (D) diagnóstico y establecido un (P) plan de tratamiento que involucraba entre otros objetivos un movimiento ordenado hacia mesial de las piezas 17 y 18, se establecieron (B) biomecánicas coincidentes en el tiempo muchas de ellas, y acordes a los (V) vehículos elegidos.

1) El cierre del espacio.
2) Tubos en 18 y 17.
3) Progresión de arcos.
4) Desoclusiones.
5) Elásticos.
6) Resortes.
7) Ejercitación neuromuscular.

1) Cierre de espacios

Al extraer la pieza 16 se debía practicar el cierre de un gran espacio (11 mm. aproximadamente) con un movimiento llamado de anclaje mínimo es decir movilizando los molares segundo y tercero superiores derechos hacia mesial.

Recordemos los factores biomecánicos a manejar y aplicar en un cierre de grandes espacios. *(Fig. 39)*

1. **VALOR DE UNIDADES DENTARIAS**
2. **FRICCIóN SELECTIVA**
3. **"COMBINACIóN" DE FUERZAS**
4. **FACTORES BIOLóGICOS LIMITANTES**
5. **POSIBILIDADES DE TADS**
6. **LOS ESPACIOS POSTERIORES**

39

2) Tubos en 18 y 17

Asumiendo que Pitts 21 y su adecuado manejo biomecánico eran el mejor vehículo debíamos examinar su slot de ranura progresiva ya que nos interesaba utilizar el factor 2 (fricción selectiva) en cierre del espacio de la pieza 16. Como se observa en las figuras 40 a 45 la ranura de los tubos molares Pitts 21 es .021 x .024 y decidimos cambiarlos por tubos H4 que son .022 x .026 con el objetivo de disminuir la fricción del sector posterior derecho y así facilitar su movimiento mesial.

EL SLOT:
CAMBIA
PROGRESIVAMENTE

40

Slot depth, from buccal to lingual.

41

CUADRADO
EN SECTORES ANTERIORES
RECTANGULAR
EN SECTORES POSTERIORES

42

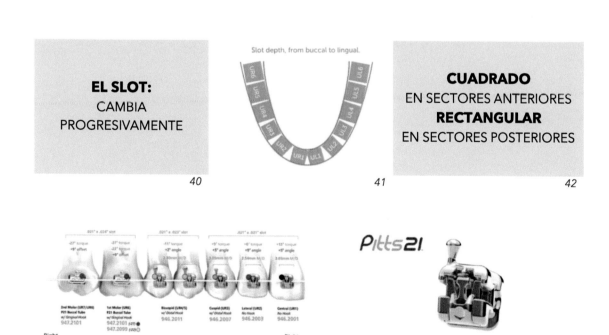

43   44

H4 - H4 GO
.022X.026 SLOT

45

3) Progresión de arcos

En este caso utilizamos en el maxilar superior una progresión de arcos de 3 diferentes aleaciones. *(FigS. 46 a 49)*

.014 **Niti Pitts Broad**
.018 x .018 **Niti Ultra Soft Pitts Broad**
.020 x .20 **Niti Pitts Broad**
.020 x .020 **B Titanio**
.019 x .019 **Acero**

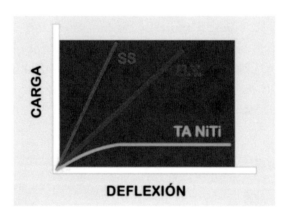

46

.014 **Niti Pitts Broad**
.018 x .018 **Niti Ultra Soft Pitts Broad**
.020 x .20 **Niti Pitts Broad**
.020 x .20 **Niti Ultrasoft Pitts Broad** (optional after Repo Appt)

47

ARCOS
.020x.020 **BT Pitts Broad**
optional .019x.019 **SS Pitts Broad**
optional .020x.020 for extra with

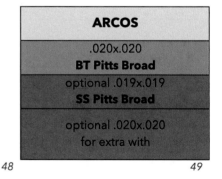

48   49

El .019 x .019 de acero es el arco elegido para el cierre de un gran espacio ya que su rigidez y baja fricción permite un movimiento ordenado en un espacio de 11 mm.

4) Desoclusiones
5) Elásticos

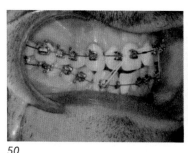 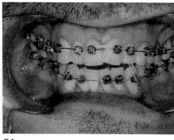 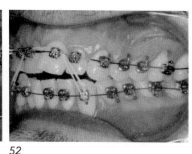

50   51   52

En las *fotos 50 a 52* se aprecia la aparatología recién instalada con un arco Niti .014 Pitts Broad pero con algunas particularidades a señalar.

A) A pesar de que iba a ser extraído fue cementado tubo en 16 utilizando la pieza como parte del desarrollo transversal del arco superior.

B) Debido al estado periodontal del sector incisivo-canino inferior fue practicado un desgaste interproximal (I.P.R) de 2 mm. en el conjunto de dichas piezas.

No se adhirió, en principio ningún aditamento en el 41 y se cementó una arandela («baby eyelet») en el 42 con el objetivo de disminuir aún más la carga deflexión del Niti .014.

C) Se comenzó con desoclusiones posteriores y ejercitación muscular isométrica (squeezing) de musculos elevadores mandibulares.

D) Se comenzó con I.L.S.E; elásticos 5/16", 2.5 oz arcoíris (rainbow) en los anteriores.

E) Se postergó para la siguiente sesión el cementado de «recordadores linguales».

Semanas más tarde fue instalado el .018 x .018 Niti Ultra Soft Pitts Broad que fue cortado a nivel de la pieza 16 manteniendo un pequeño seccional posterior que involucraba al tercer y segundo molar superior derecho.

En el arco mandibular se continuó con arco Niti .014 Pitts Broad pero ahora con brackets inferiores Pitts 21 de prescripción standard (-6°) en todas las piezas. *(Figs. 53 a 54)*

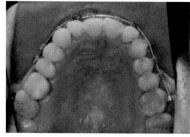 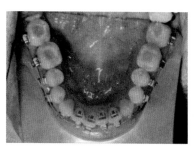

53   54

Como paso siguiente se instaló Niti Pitts Broad .020 x .020 en el arco superior, en el que se aprecia un «by pass» en el sector del 16.

El arco inferior pasó a ser .018 x .018 Niti Ultra Soft Pitts Broad.

Se continuó con el elástico anterior arcoíris (rainbow), y ejercitación neuromuscular. *(Figs. 55 a 59)*

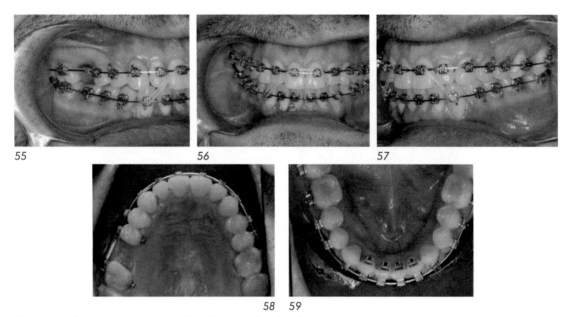

55   56   57

58 59

Previa utilización de un B Titanio .20 x .020 individualizado, progresamos a un arco de mayor rigidez pero algo menor en dimensiones como el .019 x .019 de acero en el que «crimpamos» un poste entre premolares; desde dicho aditamiento hasta el gancho (hook) del 18 dispusimos un resorte Niti con ojaletes, de espiras cerradas, 12 mm. de longitud y 200 grs.; esta fuerza de cierre por vestibular era controlada con cadena elástica dispuesta entre botones palatinos cementados en 18-17-15 y 14.

Obsérvese, por otra parte, que insertamos cadena elástica entre 15 y 25 por encima del arco .019 x .019 de acero a los efectos de incrementar fricción en todas las unidades dentarias excepto en las piezas 18 y 17. *(Figs. 60 a 67)*

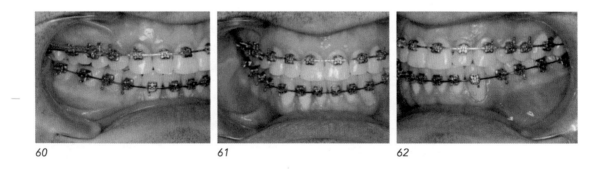

60   61   62

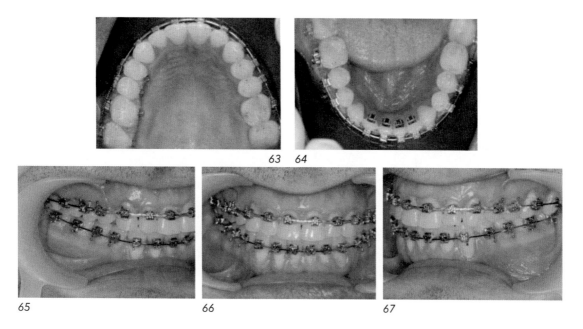

63 64

65 66 67

En las *figuras 68, 69 y 70* se aprecian las Rx finales.

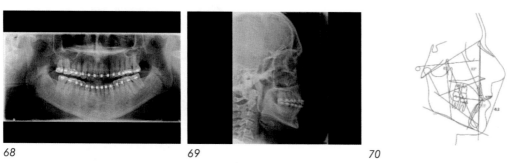

68 69 70

Desde la *figura 71 a 83* mostramos fotos intrabucales y faciales al finalizar el tratamiento activo.

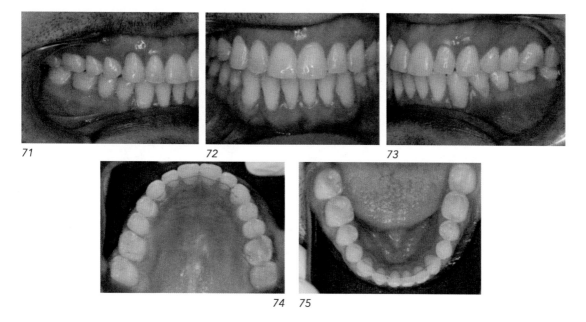

71 72 73

74 75

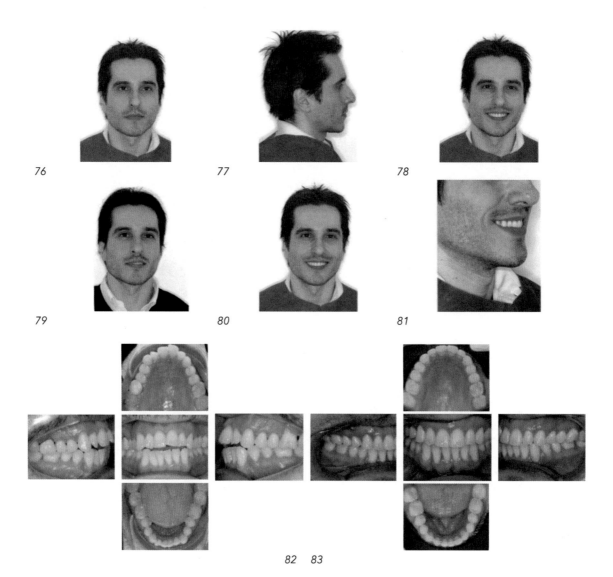

76

77

78

79

80

81

82   83

Made in the USA
Las Vegas, NV
31 August 2023

76892115R00150